io | imprensasocial

Esta publicação foi possível graças
a um programa de ação social da

imprensaoficial

Jovens Lideranças Comunitárias e Direitos Humanos

GOVERNO DO ESTADO DE SÃO PAULO
RESPEITO PELAS PESSOAS

Governador Geraldo Alckmin
Secretário Chefe da Casa Civil Arnaldo Madeira

imprensaoficial

IMPRENSA OFICIAL DO ESTADO DE SÃO PAULO

Diretor-presidente Hubert Alquéres
Diretor Vice-presidente Luiz Carlos Frigerio
Diretor Industrial Teiji Tomioka
Diretor Financeiro e Administrativo Flávio Capello
Núcleo de Projetos Institucionais Emerson Bento Pereira
Projetos Editoriais Vera Lucia Wey

CONECTAS DIREITOS HUMANOS

Diretor Executivo Oscar Vilhena Vieira
Diretor Administrativo Marcos Roberto Fuchs

CDH - CENTRO DE DIREITOS HUMANOS

Diretor-Presidente Fernando Aith
Diretora Vice-presidente Clarice Seixas Duarte
Coordenação e Edição Estela Waksberg Guerrini
Fernando Aith
Jorge Arzabe
Júlia Mello Neiva
Realização Rede Brasileira de Educação em Direitos Humanos
Centro de Direitos Humanos
Apoio UNESCO – Organização das Nações Unidas para a Educação, a Ciência e a Cultura
Ministério da Justiça - Secretaria Especial dos Direitos Humanos (esta publicação contou com este apoio em sua 1ª edição, em 2003)
Conectas Direitos Humanos
Apoio Institucional Consórcio Universitário pelos Direitos Humanos USP / PUC-SP / Columbia University

Jovens Lideranças Comunitárias e Direitos Humanos

São Paulo, 2004

Dados Internacionais de Catalogação na Publicação (CIP)
(Câmara Brasileira de Livros, SP, Brasil)

Jovens lideranças comunitárias e direitos humanos / Centro de Direitos Humanos, (org.). -- São Paulo : Imprensa Oficial do Estado de São Paulo, 2004.

Bibliografia.
ISBN 85-7060-245-6 (Imprensa Oficial do Estado de São Paulo)
ISBN 85-98225-01-0 (Centro de Direitos Humanos)

1. Direitos humanos 2. Juventude - Aspectos sociais 3. Liderança comunitária I. Centro de Direitos Humanos.

04.1009 CDD-323.042

Índices para catálogo sistemático:

1. Direitos humanos : Jovens lideranças comunitárias : Ciência política 323.042
2. Jovens lideranças comunitárias e direitos humanos : Ciência política 323.042

Foi feito o depósito legal na Biblioteca Nacional (Lei nº 1.825, de 20/12/1907).

Imprensa Oficial do Estado de São Paulo
Rua da Mooca, 1.921 – Mooca
03103-902 – São Paulo – SP
Tel.:(11) 6099-9800
Fax: (11) 6099-9674
www.imprensaoficial.com.br
e-mail: livros@imprensaoficial.com.br
SAC 0800-123 401

Centro de Direitos Humanos
R. Araújo, 124, 2º. andar
CEP 01220-020 - São Paulo - SP
telefone: (55) (11) 3120-2890
fax: (55) (11) 3256-3782
www.cdh.org.br
e-mail: cdh@cdh.org.br

Conectas Direitos Humanos
R. Pamplona, 1197, casa 04
CEP 01405-030 - São Paulo - SP
telefone: (55) (11) 3884-7440
fax: (55) (11) 3884-1122
www.conectasur.org
e-mail: conectas@conectas.org

Sumário

Apresentação

ensiná-lo a respeitar os valores humanos e sociais
direitos humanos sociedade: direito à vida nenhuma vida humana é diferent
respeito ao outro todos nós somos responsáveis pelo bem comum nenhuma vida huma
lutar por uma sociedade mais justa e mais democrática sociedade: direito à vida direitos human
lignidade direitos humanos nenhuma vida humana é diferente de outra essenciais à pessoa
ensiná-lo a respeitar os valores humanos e sociais
é diferente de outra essenciais à pessoa humana direitos humanos trabalho social sociedade: dire
ores humanos e sociais direitos humanos respeito ao outro direitos humanos todos nós
er com dignidade direitos humanos ensiná-lo a respeitar os valores humanos e sociais
vida direitos humanos viver com dignidade nenhuma vida humana é
pelo bem comum

O Curso de Capacitação em direitos humanos para jovens lideranças comunitárias, que deu origem a esta publicação, nasceu de um sonho da eterna ativista Margarida Genevois, uma das mentoras da Rede Brasileira de Educação em Direitos Humanos. Em novembro de 2001, Margarida propôs a Maria Paula Dallari Bucci, diretora do Centro de Direitos Humanos, a organização de um curso sobre direitos humanos para jovens de comunidades e entidades da periferia de São Paulo, com o objetivo de formar multiplicadores dos valores fundamentais do homem. A iniciativa já havia sido realizada para outro público, com grande sucesso.

O projeto foi apresentado ao Ministério da Justiça e à Unesco e, graças ao apoio dessas organizações, tornou-se real. Com dois meses de duração, o curso foi realizado durante o segundo semestre de 2002, em São Paulo, no Instituto Pólis – Estudos, Formação e Assessoria em Políticas Sociais e na Ação Educativa – Assessoria, Pesquisa e Informação.

O curso foi organizado com o objetivo principal de capacitar em direitos humanos jovens lideranças de comunidades e movimentos populares da periferia de São Paulo, sensibilizando essas lideranças para a importância dos instrumentos de direitos humanos como meios para garantir um estatuto de cidadania às pessoas que até hoje têm sido excluídas do mínimo de dignidade humana e, com isso, provocar formas de atuação na comunidade que viessem a ajudar na construção e consolidação de tais direitos.

Os participantes do curso conheceram mais sobre os fundamentos básicos dos direitos humanos, noções e regras para a produção de relatórios e denúncias de violações e qual o caminho para o encaminhamento desses documentos junto aos órgãos públicos competentes. Durante as aulas, os participantes tiveram a oportunidade de discutir temas importantes e recorrentes na sociedade brasileira, como a questão das discriminações social, racial e econômica.

Esta publicação é resultado dos trabalhos desenvolvidos durante o curso e reúne artigos dos palestrantes, relatos de violações de direitos humanos vividas pelos próprios participantes, apostilas e propostas de trabalho.

Hoje as jovens lideranças que participaram do curso estão ainda mais preparadas para debater conceitos de direitos humanos em suas entidades e movimentos. Esperamos também que o curso tenha inspirado e motivado essas pessoas para uma maior participação na criação e implementação de políticas públicas, colocando em prática o que foi aprendido.

A experiência de realizar um curso como esse foi única, reunindo jovens de diferentes origens e experiências de vida, provenientes de várias regiões de São Paulo, representantes dos mais diversos movimentos, como o de criança e adolescente, moradia, indígena, meio ambiente, ou movimentos relacionados à questão racial, para a troca de experiência e conhecimento.

Indicadas por entidades com reconhecido trabalho na defesa dos direitos humanos, as jovens lideranças participantes do curso são verdadeiros agentes de multiplicação, atuando na difusão da consciência dos direitos em seus bairros, locais de trabalho e comunidades, replicando uma cultura de educação para os direitos humanos.

Esta cultura de educação para os direitos humanos faz parte hoje, inclusive, do Programa Nacional de Direitos Humanos e é preconizada também pela LDB – Lei de Diretrizes e Bases da Educação, com a finalidade de educar para a cidadania democrática.

Cumpre lembrar que o artigo 13 do Pacto Internacional das Nações Unidas, relativo aos direitos econômicos, sociais e culturais (1966), reconhece o direito de todas as pessoas à educação, que deve visar ao pleno desenvolvimento da personalidade humana, na sua dignidade, fortalecer o respeito pelos direitos humanos e as liberdades fundamentais e capacitar todas as pessoas a participar efetivamente de uma sociedade livre. Nossa compreensão do tema identifica-se com os termos deste Pacto.

O curso atendeu também a um dos objetivos principais dos centros de direitos humanos envolvidos, qual seja, o de manter um diálogo permanente com entidades da sociedade civil e autoridades responsáveis pela aplicação do direito e implementação das regras de direitos humanos. É neste contexto que se deve colocá-lo. Para que se possa ter um impacto positivo junto a esses setores é necessário compreender as suas necessidades e, portanto, estar permeável às suas demandas.

Hoje, todos sabemos da importância que as organizações não governamentais, entidades de base, organizações comunitárias e outros representantes da sociedade civil organizada têm na política dos direitos humanos, seja como agentes de fiscalização, denúncia, e mesmo na implementação de programas em parceria com órgãos públicos. Da mesma forma, o Estado, como agente de implementação de políticas públicas, tem se mostrado ineficiente para a plena realização e proteção dos direitos humanos, muitas vezes, por incapacidade financeira ou técnica. Neste sentido, a formação de agentes comunitários é de extrema relevância.

Atualmente existem diversos centros de direitos humanos em todo o Brasil. Muitos têm tido nos últimos anos o importante papel de denunciar violações de direitos humanos. Esta rede de direitos humanos também colabora na implementação e gestão de programas na área social. Porém, ainda resta muito a fazer, e a formação de agentes multiplicadores dos direitos humanos vem colaborar para a efetiva implementação dos direitos humanos no País.

Uma das grandes vantagens destes valores éticos terem sido formulados em termos de direitos, e não apenas como metas ou moralidade, é que se pode exigir sua aplicação prática juridicamente, inclusive contra a vontade do Estado. Por essa razão, deve-se fazer uso sistemático do aparato judiciário como instrumento de transformação.

Más condições prisionais, violações sistemáticas dos direitos de presos e de jovens infratores submetidos a medidas de internação, marginalização de enorme contingente da população economicamente ativa do mercado de trabalho e o aumento constante do número de miseráveis e pobres, que não possuem sequer uma renda mínima que lhes garanta a sobrevivência digna, são fatores que compõem a realidade brasileira.

Além disso, em que pese à relevância dos tratados e da legislação sobre direitos humanos ou a constitucionalização dos direitos fundamentais, estes são freqüentemente transgredidos por políticas setoriais. Assim, o curso pretendeu formar agentes capazes de perceber tais transgressões e estabelecer o contato com os formuladores e implementadores de políticas públicas.

Esta publicação é um retrato do curso. Os textos foram elaborados pensando no público alvo e na forma como serão disseminados. Os autores são os mesmos que fizeram as palestras durante o curso. Há também relatos de violação de direitos humanos vividas pelos próprios participantes, escritos antes do começo das aulas. A idéia desta publicação é a de propagar para outros jovens a experiência que estes vivenciaram durante o curso.

Esperamos que esta publicação seja fonte de inspiração para a criação de projetos por este Brasil afora.

Júlia Mello Neiva

Artigos

Viver em sociedade: direito à vida

Dalmo de Abreu Dallari

A vida é necessária para que uma pessoa exista. Todos os bens de uma pessoa, o dinheiro e as coisas que ela acumulou, seu prestígio político, seu poder militar, o cargo que ela ocupa, sua importância na sociedade, até mesmo seus direitos, tudo isso deixa de ser importante quando acaba a vida. Tudo o que uma pessoa tem perde o valor, deixa de ter sentido, quando ela perde a vida. Por isso, pode-se dizer que a vida é o bem principal de qualquer pessoa, é O primeiro valor moral de todos os seres humanos.

Não são os homens que criam a vida. No máximo os homens são capazes de perceber que em determinadas condições, quando se juntam certos elementos, a vida começa a existir. Os cientistas podem até juntar num vidrinho, numa proveta, os elementos que geram a vida, mas não conseguem criar esses elementos. Na verdade, nenhum homem conseguiu inventar ou criar a vida, dominar o começo da vida.

E como não é capaz de criar a vida de um ser humano, nenhum homem deve ter o direito de matar outro ser humano, de fazer acabar a vida de outro homem. A vida não é dada pelos homens, pela sociedade ou pelo governo, e quem não é capaz de dar a vida não deve ter o direito de tirá-la.

É preciso lembrar que a vida é um bem de todas as pessoas, de todas as idades e de todas as partes do mundo. Nenhuma vida humana é diferente de outra, nenhuma vale mais, nem vale menos do que outra. E nenhum bem humano é superior à vida. Por esses motivos não é justo matar uma pessoa ou muitas pessoas para que alguns homens fiquem mais ricos ou mais poderosos, para satisfazer as ambições ou a intolerância de alguns, nem para que uma parte da humanidade viva com mais conforto ou imponha ao resto do mundo seu sistema de vida.

Quando uma pessoa mata outra por ódio, por vingança ou para obter algum proveito, está cometendo um ato imoral, está ofendendo o bem maior, a vida, que a nenhum outro se iguala.

E quando uma pessoa ou um grupo de pessoas mata alguém, porque a vítima era criminoso ou marginal, está cometendo, além disso, um grave erro. O homicídio não resolve problemas individuais ou sociais, mas, longe disso, é fonte de problemas. Aquele que matou deverá responder por seu ato homicida e será punido por ele, pois só o Estado tem o direito e o dever de julgar e punir os criminosos, dentro da lei e com justiça, retirando o criminoso do meio da sociedade para ensiná-lo a respeitar os valores humanos e sociais.

Além desses aspectos, é preciso ter em conta que a repetição de crimes contra a vida pode gerar a idéia de que a vida não é um bem muito importante, e com isso todas as vidas passam a ser menos respeitadas.

A guerra é outra forma extremamente imoral de atentado contra a vida humana. Na origem das guerras está, geralmente, a ambição econômica dos que desejam vender armamentos ou conquistar territórios, a ambição de mando ou vaidade dos que pretendem poder político ou, então, está a intolerância de homens que querem impor aos outros sua vontade, seus valores, seu sistema político e econômico.

A guerra é imoral porque sacrifica vidas humanas com o objetivo de satisfazer interesses mesquinhos. Além disso tudo, a guerra é imoral porque consome, no comércio da morte, quantias elevadíssimas que deveriam ser utilizadas para a promoção da vida.

Outra prática imoral e que atenta contra a vida é o genocídio, muito em uso atualmente. Entende-se por genocídio a matança de grupos populacionais com características diferenciadas, por meios diretos ou indiretos. O genocídio pode ser motivado por ódio racial ou por interesses políticos ou econômicos.

Um caso escandaloso de genocídio é o que está acontecendo agora com os índios brasileiros. Sendo um grupo minoritário e pobre na sociedade brasileira, os índios estão sendo expulsos de suas terras com a desculpa de que estas são necessárias para o desenvolvimento econômico.

O que realmente acontece é que há poucos anos se descobriu que, se os ladrões aventureiros tivessem a ajuda de pessoas ligadas ao governo, seria muito fácil tomar as terras que há séculos são ocupadas pelos índios. Ao mesmo tempo, por meios de estudos realizados com o uso de satélites equipados com aparelhos de grande alcance, foi revelado que existem muitas riquezas minerais no solo e no subsolo dos territórios indígenas.

Começou aí a matança dos índios para que as terras hoje ocupadas por eles sejam dadas de presente aos aventureiros. Assim está ocorrendo a morte de uma raça. Isso é um genocídio, pois é o assassinato de um grupo racial.

Muitos outros atentados contra a vida humana ocorrem todos os dias, quase sempre pela ambição sem limites de alguns homens, que provocam a morte de outros com o objetivo de ganhar dinheiro. A poluição provocada por muitas indústrias e pelo uso de venenos e substâncias tóxicas na agricultura é bem um exemplo de agressão à vida.

Assim também a situação de pobreza em que são obrigadas a viver milhões de pessoas é um atentado contra a vida. A morte não ocorre de um momento para outro, mas essas pessoas estão morrendo rapidamente, um pouco por dia, por falta de alimentos, de assistência médica e de condições mínimas para a conservação da vida.

O mesmo acontece com os trabalhadores que são obrigados a trabalhar em condições perigosas ou muito prejudiciais à saúde. Sua vida não está sendo respeitada, pois mediante o pagamento de um salário, o empregador fica com o direito de exigir que eles arrisquem a vida constantemente ou vivam num ambiente de trabalho que apressará sua morte.

O respeito à vida de uma pessoa significa não matar essa pessoa com violência, como também dar a ela a garantia de que todas as suas necessidades fundamentais serão atendidas. Toda pessoa tem necessidades materiais, as necessidades do corpo, que se não forem plenamente atendidas levarão à morte ou a uma vida incompleta, que não se realiza totalmente e que já é um começo de morte. Assim, também, as pessoas têm necessidades espirituais, como a necessidade de amor, de beleza, de liberdade, de gozar do respeito dos semelhantes, de ter suas crenças, de sonhar, de ter esperança.

Todos os seres humanos têm o direito de que respeitem sua vida. E só existe respeito quando a vida, além de ser mantida, pode ser vivida com dignidade.

Direitos Humanos: histórico, conceito e classificação

(Palestra realizada, sem revisão do autor)

Há 15 anos mais ou menos, falar em direitos humanos era considerado subversão. Corria-se o risco de sofrer processo com fundamento na lei de Segurança Nacional. Houve também todo um trabalho de mistificação que, entre outras coisas, associou a pregação aos direitos humanos com o comunismo e com a defesa de criminosos e, em conseqüência, estímulo à prática do crime. Mais ainda, uma pregação que dificultava a ação das autoridades: "fazemos um esforço enorme para apanhar um criminoso, quando o prendemos, os direitos humanos atrapalham tudo... Não permitem torturar, bater, matar".

Em sua visita ao Brasil, Jimmy Carter, então presidente dos Estados Unidos, falou em proteger os direitos humanos, o que abriu novos espaços. Hoje, corre-se o risco do extremo oposto, o risco de falar demasiado e demagogicamente sobre os direitos humanos, o que pode levar a um desgaste indesejável.

É muito importante que as pessoas que estão tratando dos direitos humanos tenham plena convicção de que é realmente uma coisa séria, fundamental para a convivência. Por circunstâncias históricas, fomos encaminhados para um sentido ultra-individualista de vida, que levou a uma atitude egoísta. É difícil que alguém se sinta injustiçado porque o outro sofreu uma injustiça e, no entanto, ficamos muito ofendidos quando somos nós a vítima de injustiças e os outros não nos vêm apoiar.

O que seria o seu conteúdo, o que significa direitos humanos?

Direitos humanos é uma forma sintética de nos referirmos aos direitos fundamentais da pessoa humana, aqueles que são essenciais à pessoa humana e que precisa ser respeitada como pessoa. São aqueles necessários para a satisfação das necessidades humanas fundamentais. Respirar é uma necessidade básica, portanto a pessoa tem direito a um ar puro e não o ar poluído, que pode ser o caminho da morte.

A presença dos direitos humanos através da história

Há divergências quanto ao primeiro aparecimento na história, mas muitos autores referem-se à Grécia Antiga, citando um dos textos de Sófocles em que Antígona responde ao rei, que a interpela, em nome de quem sepultara, contra suas ordens, o irmão que fora executado: "agi em nome de uma lei que é muito mais antiga do que o rei, uma lei que se perde na origem dos tempos, que ninguém sabe quando foi promulgada".

Nos grandes monumentos legislativos da humanidade, encontramos inúmeros dispositivos que hoje, sem dúvida, colocaríamos como direitos humanos. A Idade Média vai ter uma importância excepcional, por uma série de fatores. É um momento de revisão de valores, de confronto de objetivos temporais, imediatos e permanentes, muitos deles já indicados como objetivos espirituais. O cristianismo passa a ter uma influência muito grande na vida política, ora benéfica, ora maléfica, e a Igreja passa a associar-se ao poder temporal.

No final da Idade Média aparece a grande figura de Santo Tomás de Aquino, que discute diretamente a questão dos direitos humanos, retomando Aristóteles e dando à sua filosofia a visão cristã, inclusive dos direitos humanos. A fundamentação de Santo Tomás é teológica: o ser humano tem direitos naturais que fazem parte de sua natureza, pois lhe foram dados por Deus. Daí, desenvolve-se toda uma linha teórica, política. Ocorrerá, no entanto, uma ambigüidade na utilização deste conceito, levando até mesmo a firmar-se e aceitar-se, na prática, que o direito dos reis era um direito natural, de origem divina. De onde nasceu o Absolutismo.

Na Idade Média, a partir das famílias daqueles que lutaram contra as invasões dos bárbaros, e com isso tornaram-se proprietários de terras, constituiu-se uma aristocracia, sócia natural do poder real, que buscava fundamento no direito natural para os seus privilégios. Foi um caminho aberto para toda sorte de violências, em última análise até para a negação dos direitos humanos. O poder armado, o poder econômico, proprietários de terras não respeitavam aqueles que não desfrutavam desses privilégios. Não havia respeito pela pessoa humana. Um grande número de seres humanos viviam à margem, não tinham, na verdade, nenhum direito, eram explorados de todas as maneiras. Nesse quadro, surgem instituições jurídicas novas como a que até hoje é muito usada, o *habeas corpus*, que está presente na nova Constituição Brasileira e que, naquela época, determinava que a pessoa acusada fosse apresentada para julgamento público, pois que os nobres e aristocratas prendiam e faziam a sua própria justiça.

Nos fins da Idade Média, surge uma nova realidade histórica - a burguesia. Cessadas as invasões dos bárbaros, cessados os grandes riscos, a proteção dos senhores feudais se tornara dispensável e as pessoas começam a voltar para as cidades e os burgos passam a se desenvolver, a burguesia vai crescendo, dedica-se ao comércio, às funções de emprestador de dinheiro, de banqueiro, vai tornando-se rica, forte economicamente, mas marginalizada do poder político, o que lhe faltava para defender direitos pessoais e seu patrimônio. Na Inglaterra, onde existia o parlamento desde o século XIV, mas formado somente por nobres e prelados, todos os proprietários, a burguesia consegue a criação de uma Câmara dos Comuns, o que perdura até hoje. O crescimento político da burguesia favorece o crescimento dos direitos humanos.

No século XVII, ocorre a primeira grande revolução burguesa, que se deu na Holanda, quando aparecem grandes pensadores liberais como Espinoza, grandes pregadores da liberdade como direito humano. Com essa revolução, instala-se na Holanda, pela primeira vez, um governo de comerciantes. Não foi por acaso que os holandeses vieram ao Brasil. Vieram em busca de comércio, de utilização de seu potencial econômico. A Holanda vem a ter papel relevante na criação do direito internacional.

Foi o burguês, associado aos pensadores liberais, quem levantou modernamente a liberdade como um valor. Os burgueses, ao final do século XVI, conseguem fazer com que a Câmara dos Comuns se torne mais importante que a Câmara dos Lordes, o que prevalece até hoje. No início do século XVIII, veio o Parlamentarismo que nasceu do quadro burguês em ascensão política e que coloca o poder nas mãos do primeiro-ministro e não do rei. Nesse mesmo século, surge a criação dos Estados Unidos da América, através de uma revolução claramente burguesa. A Constituição norte-americana é uma Constituição feita por comerciantes para comerciantes. No final do século XVIII, vem a Revolução Francesa, também burguesa.

Refletindo historicamente, verificamos que os direitos humanos foram concebidos como direitos naturais, impostos por Deus e vinham sendo utilizados contra os burgueses, em favor dos reis, em favor da aristocracia, para cometer violências. O burguês não rejeita esses direitos, mas os reclama para si também. Aparecem pensadores, considerados liberais, como Espinoza, Locke, Rousseau, Montesquieu, que pregam a existência dos direitos fundamentais como a liberdade e a igualdade. O conceito de igualdade nessa época não é o mesmo de hoje, pois a Constituição norte-americana admitia a escravidão.

Rejeita-se a fundamentação teológica e busca-se um fundamento racionalista, que vai ter um peso extraordinário. O racionalismo não rejeita os direitos naturais mas muda o seu fundamento. Disse Hugo Grocius que, ainda que Deus não existisse, o homem teria direitos naturais. O fundamento, portanto, não está em Deus, mas na razão. Isto é o racionalismo. Em conseqüência, passou-se a valorizar a lei, de tal modo que, no século XVII, chegou-se a dizer que um governo da sociedade deve ser um governo de lei e não um governo de homens, afirmando que o homem é arbitrário e a lei não, pois é igual para todos.

Será mesmo? Na verdade, os teóricos do racionalismo quando falavam em lei, estavam tomando a lei natural no sentido de Aristóteles, de Santo Tomás de Aquino, e não uma lei criada arbitrariamente pelo parlamento ou executivo burguês, ou por quem quer que seja. Acreditava-se numa lei natural que a razão poderia descobrir. Percebe-se pela razão que o ser humano precisa ser livre, precisa ter liberdade de expressão, de locomoção, e cada uma destas necessidades corresponde a uma lei natural.

O século XVIII está muito presente em nossa Constituição, que é concebida como um acordo entre iguais, quando na realidade não temos a igualdade.

Temos um Parlamento que não funciona, porque foi concebido para uma sociedade do século XVIII e estamos no século XXI. Porque não usamos o computador para saber a opinião das pessoas, pois temos a loteria esportiva, que é a captação de opiniões. Por que só para a opinião esportiva?

Na atual Constituição brasileira, se dá muita ênfase à liberdade e quase nada à igualdade. Como fica a liberdade para quem não tem dinheiro? Será que adianta dizer a um favelado você é livre, o Estado não vai interferir na sua vida, use sua miséria como você quiser?

Quando no Brasil se inicia o processo intenso de industrialização, as indústrias se localizam nas cidades que passam a ser vistas como centros de riqueza, para onde se desloca muita gente, acima das disponibilidades de trabalho. Muita gente vai para o centro da riqueza, mas passa a formar a periferia que não penetra no centro da riqueza. Permanece na periferia econômica que é também a periferia social, não recebe os benefícios sociais. Estou falando com pessoas da rede pública, que sabem que a escola pública é muito mal tratada, mas a escola pública da periferia é ainda mais mal tratada. É menos visível, recebe menos apoio. Há inclusive perigo de invasão, de assalto, até de assassinato de alunos.

A vertente liberal da revolução burguesa admite a liberdade como primeiro valor A desigualdade, que foi produto de uma sociedade livre, não tem importância. Já as duas coisas juntas...

Será possível ter-se uma legislação que respeite os direitos humanos, ou as leis irão sempre beneficiar os ricos, os mais fortes, os mais poderosos? A Constituição Brasileira, que trouxe uma série de coisas muito boas para os direitos humanos, a par de coisas extremamente negativas, não mostra que a lei pode ser a favor dos direitos humanos?

Será possível criar uma sociedade justa por meios pacíficos, ou é inevitável uma luta armada?

Organização do poder, constituição, estrutura e funcionamento do Estado

André de Carvalho Ramos

1. Evolução Histórica e Conceito de Estado

1.1. O Estado e seus Elementos Constitutivos

Há vários conceitos que definem o que vem a ser o Estado. Entre eles, prefiro aquele que define Estado como uma forma de organização da sociedade, na qual um governo exerce poder soberano em relação a determinado território, visando o bem comum de um povo [1].

A organização do Estado atual origina-se da formação dos chamados Estados Nacionais na Europa pós-Idade Média. Como marco, e apenas isso, citem-se os Tratados de Paz de Westfália (1648), que puseram fim à Guerra dos Trinta Anos e acabaram por gerar o reconhecimento da independência absoluta dos principados alemães. Os principados alcançaram, com a independência, o direito de travar alianças e tratados com forças estrangeiras, transformando-se, pouco a pouco, em monarquias absolutistas, criando cada um seu próprio exército, sua própria corte [2].

Logo, o Estado começa a assumir as formas que hoje lhe são comuns, com a afirmação de um poder soberano, reconhecido como o mais alto de todos dentro de uma precisa delimitação territorial [3].

Consolidou-se, então, cinco elementos essenciais da estrutura do Estado moderno: o território, o governo, o povo, soberania e a finalidade (bem comum), sendo os três primeiros elementos materiais, e os dois últimos, os elementos formais. Estes elementos podem ser considerados também como qualidades do Estado, se este for considerado, como entendemos, uma forma histórica de organização social.

O território pode ser considerado como sendo a delimitação geográfica do Poder do Estado, ou seja, o limite físico ao exercício do poder estatal.

Passaremos agora ao segundo elemento do Estado, o povo. Este é o elemento primordial do Estado, podendo ser definido "como um conjunto de indivíduos que se unem para constituir o Estado, estabelecendo com este um vínculo jurídico de caráter permanente, participando da formação da vontade do Estado e do exercício do poder soberano" [4] .

Quanto ao terceiro elemento, governo, vem a ser o conjunto dos órgãos de comando de um Estado. Cabe não confundir "governo" com Poder Executivo ou com

[1] Para Dalmo de Abreu Dallari, Estado é a "*ordem jurídica soberana que tem por fim o bem comum de um povo situado em determinado território.*" Dalmo de Abreu Dallari, *Elementos de Teoria Geral do Estado*, 20ª ed., São Paulo: Saraiva, 1998.

[2] E. A. Kosminsky, *História da Idade Média*, Lisboa: Centro do Livro Brasileiro, pp. 217-222.

[3] Dalmo de Abreu Dallari, *Elementos de Teoria Geral do Estado*, 20ª ed., São Paulo, Saraiva, 1998, pp. 70/73.

[4] Dalmo de Abreu Dallari, Elementos ..., pp. 88.

Administração Pública. O governo congrega todos os órgãos de comando de um Estado, quer tenham funções de legislar, julgar ou administrar.

Passemos agora ao quarto elemento do Estado, a soberania. Podemos afirmar que soberania é o poder absoluto e incontrastável. Para o Direito Internacional, é atributo do Estado reger com exclusividade a situação das pessoas e bens sobre seu território.

Resta, então, abordar o "bem comum". Para simplificar, afirma-se que o Estado surgiu de um contrato social, pelo qual todos abrem mão de algumas de suas liberdades em prol do Estado, para que este, por sua vez, possa gerir a vida em comum, garantindo a felicidade e o bem de todos. Por isso, não podemos perder de vista que a finalidade do Estado é o atingimento do bem comum.

A Constituição Federal em seu artigo 3º elenca os objetivos, as finalidades, da República Federativa do Brasil. Dentre estes, podemos citar: (i) *erradicar a pobreza e a marginalização e reduzir as desigualdades sociais e regionais* (ii) *construir uma sociedade livre, justa e solidária.*

Perguntamos então: como o Estado é organizado para que seja atingido o bem comum ?

1.2. A Evolução das Formas do Estado Moderno - Rumo ao Estado Democrático de Direito

Foram várias fases de nossa história ultrapassadas até chegarmos ao chamado Estado Democrático de Direito existente no Brasil de hoje.

Comecemos nosso estudo a partir das chamadas Revoluções Liberais, como a Revolução Francesa. Institui-se o Estado conhecido como liberal, dotado de características adequadas às aspirações burguesas. Tais características podem ser resumidas, conforme faz José Afonso da Silva [5] , *em (i) submissão ao império da lei, (ii) divisão de poderes e (iii) enunciado e garantia dos direitos fundamentais.* Essas características têm em comum o objetivo de controlar o poder do Estado. É muito importante destacar que, no Estado Liberal, este não intervém na economia, reservando-se as funções de fiscalização e intervenção somente em casos extremos. Ou seja, estabeleceu-se um Estado mínimo, devendo a felicidade e o desenvolvimento social ser atingido pela soma dos esforços individuais dos membros da comunidade.

Contudo, a pobreza, o desamparo da população e a concentração de riqueza, mostrou que, no final do século XIX e do século XX, um novo modelo deveria ser adotado.

Surge, então, o Estado Social de Direito ou Estado do Bem-Estar Social, caracterizado pela intervenção do Estado no domínio econômico para assegurar a justiça social. Com o término da 2ª Guerra Mundial, quase todos os países industrializados aderem a esta nova concepção, criando redes de serviço social e instituindo, em contraponto, uma alta carga tributária, ao mesmo tempo em que assumem atividades interventivas, tanto na geração de emprego, como nas relações de mercado [6].

No Brasil, após o fim da ditadura militar da Revolução de 1964 e com a redemocratização do Estado, optou-se pelo chamado "Estado Democrático de Direito", ou seja, há a preocupação social e também o anseio de manutenção de todas as garantias de participação política e democracia. Toda esta explicação é de grande valia para compreendermos o conceito de Estado Democrático, que defende não apenas a igualdade formal verificada no Estado de Direito Liberal, mas sim uma igualdade real.

O estabelecimento do Estado brasileiro como um "Estado Democrático de Direito" vem inserido já no artigo 1º da Constituição Federal, não sendo somente uma união dos conceitos de Estado Social e Estado de Direito, mas um conceito novo, que ultrapassa os elementos daqueles, pois "incorpora um componente revolucionário de transformação do 'status quo' " [7].

No Estado Democrático de Direito, o cidadão, além de poder exigir que o Estado não atue violando os direitos individuais, pode também exigir que o Estado atue, que não fique omisso, na prestação de serviços e bens materiais essenciais, como saúde, educação, moradia entre outros. José Afonso da Silva afirma, ainda, que: "*A tarefa fundamental do Estado Democrático de Direito consiste em superar as desigualdades sociais e regionais e instaurar um regime democrático que realize a justiça social*" [8]. É a busca pela igualdade material, conforme vimos acima.

2. Funcionamento do Estado

2.1. As funções do Poder e sua atribuição a diferentes órgãos

As funções do Poder do Estado podem ser classificadas do seguinte modo: *(i) função de legislar: é editar regras gerais e abstratas, as leis (ii) função de administrar: é aplicar as leis de ofício, solucionando problemas concretos (iii) julgar eventuais litígios, que ocorram, com base nas leis editadas* [9].

Percebeu-se, por experiência histórica, que o acúmulo destas funções em um só órgão levava a concentração do Poder e conseqüentemente a tirania. Diante desta situação, a solução consistiu na separação das funções em três órgãos ou também chamados de Poderes- Legislativo, Executivo e Judiciário-, diferentes, iguais entre si, proibindo-se, dessa forma, a concentração de poderes em uma só pessoa.

[5] José Afonso da Silva, *Curso...*, pp. 116-126.
[6] Gloria Regonini, *Estado do Bem Estar* in *Dicionário de Política*, Norberto Bobbio, N. Matteuci, G. Pasquino (orgs.), Brasília: Editora Universidade de Brasília, 1983, pp. 416-419, p. 417 e Dalmo de Abreu Dallari, *Elementos...*, pp. 279-280.
[7] José Afonso da Silva, *Curso...*, p.123.
[8] José Afonso da Silva, *Curso...*, p. 126.
[9] José Afonso da Silva, *Curso...*, pp. 112.

2.2. Os Poderes e a Organização do Estado.

Em relação ao Poder Legislativo, como vimos, sua função básica consiste em editar leis, ou regras gerais, abstratas e impessoais que inovam o ordenamento jurídico, ou seja, instituem direitos e deveres que, antes dele, não existiam formalmente.

Como surge uma lei? Analisaremos, em aspecto mais geral, os principais atos necessários à edição de uma lei federal, entendido, desde já, o vocábulo lei em seu sentido amplo, ou seja, significando qualquer ato normativo proveniente do Poder Legislativo.

Assim, estudaremos brevemente como é feita uma lei federal, no âmbito do Congresso Nacional em Brasília. O primeiro ato da produção normativa é a iniciativa. Esta pode ser geral, reservada ou vinculada.

A iniciativa geral compete ao Presidente da República, a qualquer deputado ou senador, a qualquer comissão das Casas do Congresso, ao Supremo Tribunal Federal, aos Tribunais Superiores, ao Procurador-Geral da República e aos cidadãos. Neste último caso, a iniciativa está condicionada à manifestação de pelo menos 1% do eleitorado nacional, distribuído em pelo menos cinco Estados-membros da Federação, sendo que, em cada um destes Estados-membros é exigida a manifestação de, no mínimo, três décimos de seus eleitores.

A iniciativa reservada é facultada apenas a alguns dos legitimados como, p. ex., a do Presidente da República para criação de leis que criam cargos públicos. Já a iniciativa vinculada ocorre quando a iniciativa de uma lei é imposta a certo órgão, como é o caso do projeto de orçamento federal.

Uma vez iniciado o processo legislativo, em seu procedimento normal [10], o projeto de lei entra em fase de deliberação, a fase mais importante do processo legislativo, pois é nela que os deputados e senadores discutirão o projeto em sua totalidade, sob o prisma de sua validade e necessidade. Este processo de deliberação é usualmente, embora não necessariamente, feito por meio de Comissões. Uma vez terminadas as deliberações, o projeto é enviado às duas casas do Congresso (Senado e Câmara dos Deputados) para ser votado, em cada uma delas, sucessivamente, ou seja, aprovado o projeto em uma casa, é ele imediatamente enviado à outra para revisão. Quando o projeto chega na segunda Casa, que tanto pode ser o Senado como a Câmara dos Deputados, fator que depende de quem teve a iniciativa da lei, três hipóteses podem ocorrer: (a) o projeto é aprovado totalmente, no que imediatamente vai ao Executivo para sanção ou veto; (b) é aprovado com emendas, hipótese em que o projeto retorna à Casa inicial para apreciação das emendas. Se estas forem aprovadas, com elas caminha para apreciação do Executivo, se rejeitadas, o projeto vai para apreciação do Executivo da mesma maneira, mas sem as emendas; (c) por fim, pode o projeto ser rejeitado pela segunda Casa, ocasião em que estará findo e será arquivado.

Não tendo sido o projeto rejeitado, deverá agora passar pela "aprovação" do Presidente da República. Este poderá tanto sancioná-lo, expressa ou tacitamente, transformando-o definitivamente em lei, quanto vetá-lo. O veto é a manifestação de discordância do Presidente da República, que pode ocorrer tanto pela inconstitucionalidade do projeto, como pela sua inconveniência. Pode ser total ou parcial, momento em que o Presidente veta somente alguns dos dispositivos do mesmo. Vale dizer que o veto, em nosso direito, não é um ato final de rejeição, pois pode ser "derrubado" pelo Legislativo, por maioria qualificada, em sessão conjunta das Casas do Congresso.

Feito este percurso, deve o ato normativo ser promulgado e publicado no Diário Oficial.

Ressalte-se que o processo legislativo aqui descrito é o processo para edição de atos normativos federais, os processos legislativos estadual e municipal são regidos, respectivamente, pela Constituição de cada Estado e pela Lei Orgânica de cada Município.

Feitas essas observações acerca do Poder Legislativo, passemos à análise do Poder Executivo que apresenta, como função clássica, a execução das leis. Ocorre que modernamente a função do Executivo tem sido bastante alargada, assumindo diversas funções, como a responsabilidade de realizar e oferecer todos os serviços assistenciais e direitos sociais atribuídos aos cidadãos. Isto se explica porque o Poder Executivo, no modelo atual, deve dispor de uma estrutura capaz de tomar decisões prontamente. Assim, hoje em dia, cabe ao Executivo, seja federal, estadual ou municipal, tomar as decisões e prover os serviços públicos e assistenciais, assim como implantar políticas públicas, além de reger a vida econômica e financeira do país.

Por fim, cabe mencionar algumas considerações sobre o Poder Judiciário brasileiro. Sua função consiste basicamente em resolver conflitos de interesses, em cada caso concreto, com base na lei. A isto se chama função jurisdicional, ou jurisdição, que se realiza por meio de um processo [11].

A jurisdição, ou seja, o poder de dizer a lei no caso concreto, é una e faz parte do complexo de poderes constante do conceito de soberania. Mas, por necessidades práticas, a jurisdição foi dividida em competências, para distribuir os litígios entre diversos juízes e tribunais. No Brasil contamos com os seguintes órgãos jurisdicionais: (a) Supremo Tribunal Federal (b) Superior Tribunal de Justiça (c) Tribunais Regionais Federais e Juízes Federais (d) Tribunais e Juízes do Trabalho (e) Tribunais e Juízes Eleitorais (f) Tribunais e Juízes Militares e (g) Tribunais e Juízes dos Estados, do Distrito Federal e dos Territórios.

Questão muito interessante que merece ser ressaltada ao falarmos do tema em foco é a do acesso ao Poder Judiciário. Esse acesso vem garantido no artigo 5º, inciso XXXV da Constituição Federal a qual assegurou que *a lei não excluirá da apreciação do Poder Judiciário lesão ou ameaça a direito*. Por tal enunciado quer-se dizer que,

[10] Não teceremos considerações sobre o procedimento abreviado por questões de espaço.

[11] Ver ARAUJO CINTRA, Antônio Carlos; GRINOVER, Ada e DINAMARCO Cândido Rangel. *Teoria Geral do Processo*, 12ª Ed. São Paulo : Malheiros.

toda pessoa que se sentir lesada em seu direito, não precisando ter sido efetivamente lesada, pode recorrer ao Judiciário para solucionar o caso.

O acesso ao Poder Judiciário vem contemplado ainda no artigo 25 da Convenção Americana sobre os Direitos Humanos o qual dispõe que: *Toda pessoa tem direito a um recurso simples e rápido ou a qualquer outro recurso efetivo, perante os juízes ou tribunais competentes, que a proteja contra atos que violem seus direitos fundamentais reconhecidos pela Constituição, pela lei ou pela presente Convenção, mesmo quando tal violação seja cometida por pessoas que estejam atuando no exercício de suas funções oficiais* [12].

Formalmente a questão em foco estaria solucionada. E na prática? Podemos afirmar que a garantia do acesso à justiça não é absoluta pelos motivos que veremos a seguir. A morosidade do Judiciário, por exemplo, pode impedir por anos e anos a reparação devida. Ou a ausência de defensores públicos em número necessário pode também dificultar o real acesso à justiça àqueles menos favorecidos. Assim, cabe sempre lembrar a importante função desempenhada pelos Defensores Públicos, advogados gratuitos fornecidos pelo Estado, destinados a atender a população que não possui meios de arcar com os custos de um profissional particular.

3. A Relevância da Constituição

O Estado Constitucional é aquele regido por uma Constituição, ou seja, documento formal que contém os principais princípios e regras jurídicas de uma sociedade. A concepção de um Estado enquadrado em uma Constituição, documento que traça as diretrizes deste, suas funções, organização e direitos dos cidadãos é recente, tendo surgido paralelamente ao Estado Democrático e sob a influência deste.

A Constituição é a chamada *lei fundamental*. Primeiro, porque ela é o padrão, o eixo, de nosso ordenamento jurídico, determinando seus princípios básicos. Depois, porque é hierarquicamente superior, de modo que qualquer outro instrumento normativo que com ela conflite não será válido, será inconstitucional, será nulo e de nenhum efeito.

Lembro que a Constituição expressa, também, os principais direitos de uma comunidade, os chamados direitos fundamentais. Para que se possa ter uma visão da importância destes, cabe mencionar alguns dos muitos garantidos na nossa Constituição: direito à vida, igualdade, liberdade, livre manifestação do pensamento, intimidade, à vida privada, à honra e à imagem das pessoas, liberdade de associação, entre outros.

A Constituição, assim, revela-se como uma garantia aos cidadãos, eis que deve ser respeitada pelo Estado. Hoje está definitivamente superada a idéia de que ela seria um simples enunciado de princípios políticos, que serviriam apenas como diretivas que o legislador iria aos poucos concretizando, de forma discricionária. Nesse sentido, as normas constitucionais possuem eficácia imediata, embora existam aquelas que exigem a elaboração de novas leis, para que explicitem e detalhem como cumprir a norma constitucional. De qualquer maneira, vale destacar que mesmo estas normas produzem efeito vinculante, antes mesmo da edição dessas novas leis, pois ao menos impedem que o legislador desobedeça às suas diretrizes.

Resta, para concluir, que é missão de todos cobrar do Estado e de todos seus Poderes (Executivo, Judiciário e Legislativo) que cumpram a Constituição, implementando-se a justiça social no nosso país.

[12] Ver mais em RAMOS, André de Carvalho. *Direitos humanos em juízo*. São Paulo : Ed. Max Limonad, 2001 e RAMOS, André de Carvalho. *Processo Internacional de Direitos Humanos*. Rio de Janeiro : Ed. Renovar, 2002.

Declaração Universal de Direitos Humanos e Pactos e Convenções Internacionais de Direitos Humanos

Flávia Piovesan

Palestra de Flávia Piovesan ministrada no curso de Lideranças Comunitárias no dia 28 de setembro de 2002

Direitos humanos não é uma matéria, não é uma disciplina. É uma postura perante o mundo e a vida. Se eu respeito os direitos humanos, eu os respeito a cada segundo. Eu respeito quando lido com qualquer pessoa, nas mais diversas relações sociais: quando eu lido com uma pessoa na rua; quando eu sou uma pessoa que respeita o outro e o vejo como sujeito digno, um sujeito de direito.

Eu diria que o fundamento que radicaliza a idéia dos direitos humanos é o fato de que cada um que está aqui é único. A Cristiane, que está aqui, é única. Não houve outra Cristiane antes dela. Não haverá outra depois dela. É esta unicidade que ao mesmo tempo nos dignifica e nos traz um grande desafio – o de escrever a nossa própria história, e de tentar, de alguma forma, trazer uma contribuição a este espaço. Então, o ser humano é único, ainda que haja clonagem, seja qual for o avanço da genética. Cada um escreve sua própria história. Cada um traz a potencialidade de transformação e nós vamos responder por isso. Seja pelo que nós fizemos, seja pelo que não fizemos. O ser humano é a única espécie viva, não há outra, por mais linda que seja – os pássaros, as abelhas - seja o que for, não há outra que tenha a idéia da unicidade e a idéia de prestar juízos éticos as suas ações. Quer dizer, valendo-me de Hannah Arendt, somos juízes o tempo todo, querendo ou não, porque nós sabemos diferenciar o certo do errado; o justo do injusto; o ético do aético. Só o ser humano faz isso. Quer dizer, não há dilemas existenciais – eu não sou especialista nisso, mas me arrisco a dizê-lo – não há dilemas existenciais ou dilemas éticos, imagino eu, na construção de ninhos em árvores. Os pássaros têm um comportamento quase mimético. Eles se repetem. O ser humano tem a asa da criação; a asa da criatividade, da invenção; a asa do espírito.

O ser humano tem, também, a razão. O ser humano tem a capacidade de amar; tem a capacidade de sofrer; tem a capacidade de trazer a sua marca única. Isto nos faz dignos. Isto nos faz sujeitos de direitos. Não importa se eu nasci aqui ou na China. Não importa se eu sou pobre ou rica, se sou azul ou amarela, se sou homossexual ou heterossexual. Não importa. Nada importa. O que importa é ser pessoa, e ser pessoa me identificando como tal. Então, há que se trabalhar com essa percepção de sujeito de direito.

Nós vivemos em um Estado de Direito no Brasil. Desde 85 houve a transição lenta e gradual pós-ditadura. Quer dizer, isto é pouco se olharmos para trás e avaliarmos o peso de uma cultura excludente e autoritária e avaliarmos de que maneira reconstruir sobre bases éticas. E não só reconstruir o Estado de Direito, mas a democracia e os direitos humanos saindo dessa ruptura. Eu acho que isso fascina, também, quem está nesta área - esta tarefa de reconstrução e de resgate da cidadania à luz desse pesado legado.

Eu gostaria de conversar a respeito de quatro pontos. O primeiro deles será uma visão preliminar, uma visão introdutória sobre direitos humanos. Ainda que nossa pauta seja Instrumentos Internacionais dos Direitos Humanos, não dá para começar a tratar destes instrumentos sem que nós, de forma preliminar, possamos enfocar, trabalhar um pouco a noção de direitos humanos. Então, vamos aqui trazer a idéia dos direitos humanos, seu conceito e seus fundamentos. A partir dessa idéia, nós vamos transitar por uma segunda que é acerca da Declaração Universal dos Direitos Humanos. Por que nasceu esta declaração, de onde e por que ela nasceu? Porque a humanidade, em determinado momento histórico, entendeu que era necessário elaborar uma Declaração Universal dos Direitos Humanos. Então, nós vamos trabalhar o conceito, o fundamento e também ver qual é o legado, qual é a marca deixada pela Declaração Universal de 48. É a partir deste primeiro ponto que será possível caminhar para uma outra reflexão, aí sim, sobre o Sistema Internacional de Proteção dos Direitos Humanos. E aí, vamos realmente examinar os Instrumentos Internacionais de Proteção aos Direitos Humanos - um panorama geral a respeito deles.

Então, eu pergunto: O que são os direitos humanos? Direito à saúde? Direito à saúde deve estar dentro desta leitura de direitos humanos. Quando nós falamos em direitos humanos, devemos incluir o direito à saúde. Direito à vida, educação; cultura; ir e vir; trabalho; moradia, liberdade, igualdade...

Agora, eu pergunto, se eu fizesse esta pergunta há cem anos? Será que os seres humanos naquela época, em 1902, teriam as mesmas reflexões? Será que os seres humanos de 2074 terão estas mesmas reflexões?

Os direitos humanos têm a sua história, ou seja, os direitos humanos não são um dado em si mesmo – mais uma vez recorrendo à Hannah Arendt – mas são construídos. Falar e pensar em direitos humanos hoje, não seria o mesmo a respeito destes direitos ontem, quase cinqüenta anos atrás, quase cem anos atrás. E nem tampouco será o mesmo que pensar e refletir sobre esses direitos humanos daqui a setenta anos, daqui a cem anos, porque os direitos humanos captam aquelas lutas, aquelas reivindicações morais. Os direitos humanos requerem a capacidade de indignação e requerem, também, o direito à esperança. Porque nós sabemos que nos intervalos de tempo há demandas, há lutas, há conquistas, há reivindicações morais. E são as reivindicações morais que vão construir a noção, a cada tempo, dos direitos humanos.

Agora, é importante também realçar qual o fundamento destes direitos. E daí, nós vamos verificar, nós vamos dialogar com a Declaração Universal. Será que a Declaração prevê educação, prevê saúde, prevê dignidade? Em que medida ela reflete os nossos desejos? Será que, feita em 48, ela, até hoje, se mantém viva ou será que, nesses cinqüenta anos, ela ficou bastante desatualizada? Então, nós, de alguma forma, já nos aproximamos do conceito dos direitos humanos que nós aqui construímos. E aí, eu parto para a segunda pergunta: se nós já temos, de alguma forma, delineado o conceito de direitos humanos, qual o seu fundamento? Por que as pessoas têm direitos? O que nos faz sermos portadores e titulares de direitos? Nada é de graça. Há direitos e há deveres. O sistema que foi criado para proteger os direitos humanos entrega, confia deveres aos Estados. Se eu tenho, por exemplo, direito à liberdade de expressão, eu tenho direito de sair naquela rua e saber que se eu me manifestar, não vou ser presa ou não vou ser censurada. Em suma, os direitos, a gramática dos direitos, a idéia de direitos demanda a idéia de deveres.

Mas tudo isso é fruto de construção histórica. Hoje, nós sabemos que as mulheres têm direitos; que as crianças têm direitos; que os negros têm direitos. Só que a história da humanidade foi repleta de violações – vide a escravidão; vide o *apartheid*; vide o *apartheid* sexual.

A dignidade foi construída. Ela foi resultado de muita dor, de muita conquista, de muitos avanços e recuos. Ela é fruto de toda uma vivência humana e que, hoje, se percebe que as pessoas têm dignidade. A dignidade é o fundamento dos direitos humanos. Cada um de nós tem um valor em si mesmo, um valor intrínseco. Nós não somos um meio, mas somos um fim em si mesmo. Como diria um grande filósofo que é Kant, ele diz "olha, a pessoa tem um valor em si e não pode ser trocada por outra coisa, não pode ser coisificada porque é um ser essencialmente moral".

Por que uma Declaração Universal de Direitos? O que teria existido na história da humanidade, para que houvesse esse clamor, essa necessidade para que não mais tivéssemos uma Declaração que fosse francesa, norte-americana, ou seja, onde for, mas que houvesse uma Declaração Universal? Ela foi feita num momento específico. Em 1300, nós não tínhamos. Ela foi adotada em 1948. A pergunta é: o que houve? Por que a humanidade deu esse estalo de repente? Uma luz, uma consciência. Hoje nós vamos acordar e vamos tentar trazer um piso comum de dignidade para todo o planeta Terra.

Imaginem 18 milhões de pessoas serem encaminhadas a campos de concentração – judeus, ciganos, homossexuais, comunistas. Se nós entrevistássemos aquelas pessoas nas filas dos campos e indagássemos: "mas o que vocês fizeram de tão terrível? Qual foi o crime que vocês cometeram para merecer esta condenação?" Qual seria a resposta delas? "Nasci assim. Nada, não cometi nada". Ou seja, o estado de inocência era fundamental para perpetuação da arquitetura da destruição. As pessoas nada cometeram. Elas estavam sendo encaminhadas a campos de concentração porque não pertenciam à raça específica – a raça chamada pura, ariana. É a única que merecia prevalecer. Quem não integrasse essa raça era enviado para campos de concentração e extermínio. Destruição. Descartabilidade. As pessoas são descartáveis.

Um dos grandes atos do nazismo foi fazer com que os judeus se tornassem apátridas. Então, eles passam a não ter mais passaporte. E como não havia uma proteção internacional naquela época a idéia é a seguinte: "bom, se alguma coisa ruim acontece comigo, eu posso me socorrer no meu Estado. Se eu estou em outro país eu vou à Embaixada, ao Consulado, mas eu tenho o agasalho do Estado". Na medida em que eu perco o meu passaporte, eu não tenho mais vínculo com qualquer Estado. Eu estou órfão no mundo, estou solto. Eu estou sem lugar no mundo. E é em razão desta gravidade – aqui, mais uma vez eu vou usar Kant – que é necessário criar a idéia de hospitalidade universal. É necessário que esse agasalho não se encontre apenas numa Embaixada, mas que ele possa ser maximizado e que exista este senso de pertencer não a uma cidade, não a um Estado, mas ao mundo. Quer dizer, há essa idéia cosmopolita de que a hospitalidade não pode se restringir ao Estado, porque o Estado pode ser um Estado democrático ou um Estado autoritário. Tem que superar as fronteiras nacionais. E é interessante isso.

Por que será que nasceram as primeiras Constituições escritas? As primeiras Constituições escritas – eu só faço este paralelo para voltar aqui neste tema – elas foram escritas em razão de duas finalidades. A primeira delas era limitar o arbítrio do Estado. Era conter a voracidade, o arbítrio do Estado, o abuso, o excesso do poder. E a segunda era proteger direitos. Agora, no nazismo todo, na Alemanha, o próprio Estado foi delinqüente. Quem encaminhou as pessoas para os campos de concentração? Foi uma disputa entre gangues, entre etnias? Não, foi o Estado que planejou tudo aquilo de forma institucionalizada. E havia leis, havia a ordem jurídica. Tudo se operou dentro do marco da legalidade. A barbárie se operou dentro do marco da realidade, ou seja, você tem o Estado como assassino, delinqüente. Ter uma lei que não é Constituição não adianta. E foi essa percepção que se criou naquela época. Nós temos que ter algo acima do universo estatal. Nós temos que ter, entre aspas, quase que uma Constituição Mundial ou uma Declaração dos Direitos acima dos Estados. Tem que ter um socorro. Eu tenho que ter, de alguma forma, uma estrutura de poder, e que ainda está – nós vamos perceber – num processo de consolidação, de formação, de aperfeiçoamento porque, afinal de contas, ela começa a nascer aqui, em 45. Eu tenho que ter uma estrutura supranacional acima dos Estados que me dê um piso de proteção de direitos. Então, é a partir disso que se constrói a Declaração Universal.

A idéia era a seguinte: independentemente de tanta diversidade, nós temos que criar um mínimo comum, um mínimo ético irredutível que nenhum Estado, por mais diferente que seja, pode ali desrespeitar. A minha legislação enquanto Estado pode ir além daquele mínimo, mas nunca aquém porque aquele é o mínimo de garantia de proteção à dignidade humana - tendo em vista a idéia de que há um valor intrínseco em cada um de nós. Quer dizer, que nós valemos e que não somos mercadoria, e que não somos substituíveis, e que não podemos ser vendidos, trocados e comprados. Então, a Declaração tem essa utopia: criar um chão, um piso mínimo.

Então, a primeira questão que eu trago aqui, a primeira afirmação é: a Declaração não é o máximo, não é o teto máximo de proteção. Ela é o chão, ela é o piso. Ela traz o que nós chamamos de parâmetros protetivos mínimos voltados à preservação da dignidade humana. Agora, nós já sabemos que os direitos humanos têm essa história e que se passaram 50 anos. Então, há direitos que nós falamos aqui com tanta tranqüilidade hoje – direito ao meio ambiente, não é? Todos nós achamos que temos direito ao meio ambiente preservado, o direito ao desenvolvimento. Alguns até falam do direito de acesso à tecnologia; dos direitos reprodutivos. Então, nós temos tantos direitos que nasceram depois da Declaração e que ela não deu visibilidade. Por quê? Porque ela é fruto do seu tempo. Ela nasceu em 48 e pôde captar aquelas reivindicações de 48. A Declaração situa-se como parâmetro. Ela traz parâmetros ampliativos, mínimos, voltados à defesa, à proteção da dignidade.

Este documento inspirou grande parte das Constituições do mundo. Se nós fizéssemos uma lista de Constituições e avaliássemos o que elas falam de direitos, nós iríamos claramente ver o impacto que estes trinta artigos tiveram na história de construção das declarações específicas de direitos em cada Estado.

E qual é o lema da Declaração? Qual é o seu recado? Qual é a sua mensagem? Eu diria a vocês que dois são os grandes lemas da Declaração. O primeiro deles tem a ver com a idéia da universalidade dos direitos humanos, ou seja, o próprio nome já nos diz: os direitos humanos são universais. E eu volto àquela repetição da hospitalidade universal. O mundo deve ser um lugar para todos. Todas as pessoas são dignas. Todas as pessoas têm direitos e o meu direito não vai depender da sorte, ou da falta de sorte, de ter nascido em determinado chão. Não é porque eu nasci em solo brasileiro ou em solo sueco, ou em solo da Angola que eu não vou ter direitos em razão do vínculo que eu vou estabelecer com um Estado específico, por sorte ou por azar, porque eu caí lá de pára-quedas. Afinal de contas, eu nasci naquele chão. Não é isso, não é uma contingência. Ser sujeito de direitos não pode ser uma coisa contingencial, não pode ser algo que dependa desses fatores. Ser pessoa ou ser sujeito de direitos é algo que vai além disso. A construção histórica hoje nos mostra isso, e a declaração sopra isso. A declaração afirma a universalidade. Todos somos sujeitos de direito, independentemente de que país nós viemos, independentemente da língua que falamos, independentemente do berço em que nascemos. Todas as pessoas têm direitos e o fundamento que a Declaração acolhe, nós já sabemos, é o fundamento da dignidade humana. Essa é a fonte. Quer dizer, esta é a razão dessa afirmação. A afirmação é: os direitos são universais porque decorrem da dignidade inerente à condição de pessoa. Bastou ser pessoa para ser sujeito de direito, para ser digno.

A segunda mensagem da Declaração é o legado chamado da indivisibilidade e interdependência dos direitos humanos. Indivisibilidade é o que não pode ser dividido. Interdependência é o que está ligado, uma coisa com a outra. Eu não posso dividir os direitos humanos. Eu não posso dizer que um vale mais que o outro, ou que a vida, a educação, a saúde são mais importantes do que o trabalho o qual, por sua vez, é mais importante do que a educação. Não dá para pesar, para mensurar porque isso tudo forma um conjunto. De que adianta nós termos um país em que é assegurado o direito à educação, um direito social básico, se eu abro a porta e vou para a rua e não posso falar uma palavra, há um arbítrio, uma censura absoluta? O que adianta nós termos a máxima liberdade de expressão, se não há a menor possibilidade de ter acesso ao direito à educação? Então, há essa relação bastante acentuada entre os direitos, como se nós olhássemos os direitos como uma teia em que um direito alimenta o outro. E, quando um direito é violado, os demais também são afetados. Eu dou o seguinte exemplo: a violência doméstica empobrece as mulheres. A violência contra as mulheres as torna mais pobres. O que tem a ver uma coisa com a outra? Há pesquisas afirmando que a cada cinco mulheres que faltam ao trabalho, uma o faz por brigas domésticas. O número de faltas faz com que ela ganhe um menor salário. Menor salário, ela fica mais pobre. Mais empobrecida, mais condenada à violência, à dependência. E por aí vai. O que eu quero aqui sustentar é que os direitos humanos demandam um olhar integrado. A dignidade requer esta comunicação, esta interligação, esta interdependência dos direitos humanos. E isto a Declaração faz muito bem porque é o primeiro documento da história da Humanidade a compor os direitos chamados civis e políticos – que são as liberdades; que é o direito à expressão; que é o direito à integridade física, que deve ser lembrado; que é o direito de ir e vir, que também deve ser lembrado; como os chamados direitos econômicos, sociais e culturais, que são a saúde, a educação, o direito ao lazer e à cultura. Agora, antes da Declaração não havia este consenso. Antes, ou valia um, ou valia o outro. Ora tinha-se um discurso muito liberal vocacionado aos direitos civis e políticos, ora tinha-se um discurso social em que só se falava em justiça social, mas não se falava das liberdades. Então, este foi um salto qualitativo enorme porque a Declaração investe nessa visão de que os direitos são tudo e que ninguém vai ser livre de verdade se não for igual; e que ninguém vai ser igual de verdade se não for livre; e que a liberdade e a igualdade compõe este binômio, este conjunto que não pode ser cindido.

Então, se nós lermos os artigos da Declaração veremos que uma primeira parte traz os chamados direitos civis e políticos. Ela faz este casamento, ela faz esta conjugação. Numa primeira parte, ela soma os chamados direitos civis e políticos que têm como valor o valor da liberdade. E ela soma a isso os direitos sociais, econômicos e culturais, que têm como mastro o valor da igualdade. Ela faz assim esta conjugação, esta somatória – direitos civis e políticos, mais direitos sociais, econômicos e culturais. Até 48 as Declarações ora avançavam nos direitos civis e políticos, ora avançavam nos direitos sociais, econômicos e culturais. Havia uma tensão, um confronto, um antagonismo. A Declaração busca superar e dizer "não, são tão importantes quanto à liberdade, à igualdade, e assim por diante."

Ainda que a Declaração fosse visionária ao seu tempo, ela não contemplou o direito ao meio ambiente, o direito ao desenvolvimento e muitas das reivindicações morais dos países em desenvolvimento – que somos nós, a América Latina, a Ásia, a África. Países que nós chamamos do Hemisfério Sul e têm identidade – muitos deles não existiam em 48. Muitos países eram colônias. É por isso que muitos dizem: "será que este senso tem lastro de legitimidade?" Olha, se hoje nós temos 200 países e este consenso é de 48 Estados, até que ponto este consenso dá visibilidade, voz e vez a estes três quartos de Estados que não existiam naquela época? Em 1993, houve uma Conferência Mundial de Direitos Humanos e o mundo era muito diferente que o de 48. Da Conferência de Viena participaram mais de 170 Estados, dentre eles o Brasil, que participou dos dois grupos – participou de 48 e participou, também, de 93. Qual foi a novidade em 93? A novidade foi: endossa-se essa idéia de que os direitos humanos são universais, indivisíveis e interdependentes. Esta é a voz de Viena em 93 e 171 Estados assinam embaixo. Isso dá outra legitimidade à Declaração, mas se agregam outras duas idéias. Percebe-se que, além de direitos humanos, a democracia é vital, e o desenvolvimento também o é. Viena, então, não apenas batiza o que dizia a Declaração, ou seja, dá a ela mais fôlego, mais força, mais base de legitimidade. Mas, Viena também faz essa relação entre direitos humanos, democracia e desenvolvimento, tece esse diálogo. A Declaração de Viena vai dizer: são termos indissociáveis. Não há direitos humanos sem democracia. Não há democracia sem direitos humanos. O regime compatível com a vida dos direitos humanos é o regime democrático, outro regime asfixia os direitos. E mais do que isso, o mundo tem que se ajustar porque nós vivemos num planeta em que há muita desigualdade social. E aí vem a voz do eixo sul que vai trazer o recorte do desenvolvimento, vai dizer "olha, os quatro quintos da humanidade não toleram mais, estão cheios, não agüentam mais o fato de um quinto da humanidade construir sua riqueza com base na miséria e na pobreza dos outros quatro quintos".O desenvolvimento tem que entrar como eixo. Há que se ter uma declaração entre os Estados nessa ordem: os Estados mais ricos, de alguma forma, têm que ter uma responsabilidade com relação aos mais pobres, e assim por diante.

O primeiro passo fundamental para que o direito tenha vida é que ele esteja no papel. Só que eles não podem ser direitos de papel. O mais importante é nós introjetarmos, nós incorporarmos essa noção de que nós somos sujeitos de direito. Vamos lançar estratégias. A primeira, eu diria, é acreditar que existe este direito. Nós temos que, de alguma forma, embasar a sua existência no plano ético e moral. Mas também no plano do direito. Vamos supor: Ele pode ser nosso amigo. Então, está aqui o artigo "Xis" da resolução e o artigo sétimo da Constituição. Bom, quais são os instrumentos de que posso me valer? E aí, eu posso avaliar no campo jurídico, por exemplo, qual vai ser a minha bandeira de luta. No campo político, qual vai ser a minha bandeira de luta.

Se nós acreditarmos que temos direitos – direito à moradia, por exemplo – vamos lutar por ele. Vamos acionar o Ministério Público. Qualquer um pode acionar o Ministério Público, tem direito a ser ouvido, tem direito a denunciar. O Ministério Público tem, dentre uma de suas competências,a de receber a denúncia e investigar. Ele tem poderes de investigação no campo civil. A denúncia é o motor fundamental para o progresso.

Eu gostaria de concluir com a seguinte indagação: onde estão os tratados nessa história toda? A questão é o Sistema Internacional de Proteção dos Direitos Humanos. Então, a paisagem que eu quero passar para vocês agora é a seguinte: ver a Declaração em 48. A Declaração com aquele lema em que ela aposta – na universalidade, na indivisibilidade, na interdependência dos direitos humanos – passou a estimular a feitura de alguns consensos internacionais que tinham a mesma finalidade dela. Qual é a finalidade? Criar um piso comum, um parâmetro mínimo de proteção aos direitos humanos. Então, a partir da Declaração, começam a ser feitos vários tratados de proteção aos direitos humanos.

Hoje, nós temos um tratado que protege direitos civis e políticos. Chama-se Pacto Internacional dos Direitos Civis e Políticos, e que tem hoje 140 Estados partes. A Declaração tem os seus tratativos, mas o tratado é mais minucioso, detalhista. Há também os direitos sociais, econômicos e culturais. Estes direitos também fazem parte de um tratado que tem hoje 145 Estados partes. A tortura é algo repugnante. Há hoje uma leitura internacional que aquilo tem que ser abolido, que aquilo tem que ser prevenido. A tortura tem que ser punida quando ocorrer. Então, isso levou a feitura da Convenção Contra a Tortura e que tem hoje 124 Estados partes. Quanto ao tema da discriminação racial hoje, passada a escravidão, passado o *apartheid*, há uma convenção, há um tratado que visa a eliminação da discriminação racial e que tem hoje o seus 157 Estados partes. A convenção sobre a eliminação da discriminação da mulher tem hoje 168 Estados partes. E, por fim, a recordista em adesão tem hoje 191 Estados partes. É a convenção sobre os Direitos da Criança. Nenhum Estado se sentiu confortável em dizer não a esta convenção.

O que interessa aqui? Eu não quero aqui, não há importância em ficar recordando esses números, mas o meu interesse, ao trazer esses dados, é sustentar que depois da Declaração houve a realização de vários tratados, vários instrumentos internacionais que são consensos internacionais e que refletem a consciência ética contemporânea. Hoje, felizmente, estes tratados são inovadores. Eles não existiam há sessenta anos. São tratados novos. A Convenção sobre os Direitos da Criança é de 89, por exemplo. Só em 89 o mundo acorda e diz "não, temos que ter este vetor". O Sistema Internacional de Proteção aos Direitos Humanos permite a criação deste universo, desse conjunto de tratados internacionais – Tratado de Direitos Humanos – que vão cobrir os mais diversos temas.

Quando eu falava que a Convenção da Criança foi ratificada por 191 Estados – Estados tão distintos quanto Japão, Brasil e Nigéria - agora estes tratados têm sua história. Os consensos vão se formando na medida do possível. Então hoje, por exemplo, nós não temos ainda uma convenção para a Proteção dos Direitos das Pessoas Portadoras de Deficiência. Houve até uma reunião no México, em junho. O México está liderando o movimento regional para que seja minutado um tratado internacional e que agora seja levado à ONU para que os países possam debater e chegar a um consenso. Então, há vários pontos, há vários temas ainda não cobertos. Há várias lacunas, há vários vazios porque não são fáceis estes consensos. Demanda o quê? A nossa resistência. Por que houve a Convenção da Mulher? Porque as mulheres se reuniram, em 75, e da primeira Conferência Sobre os Direitos da Mulher, que foi em Nairóbi, saiu uma bandeira do movimento das mulheres. Então, nada é ao acaso. Cada ganho tem por detrás de si uma longa história – uma história de avanços, de recuos, de dor, de sofrimento, de satisfação. Isso é vida. Isso é que nós temos que avaliar. Esses tratados, hoje, trazem este mapa que são parâmetros mínimos. E, por que os parâmetros mínimos são importantes? Porque os parâmetros mínimos – parâmetros protetivos mínimos – têm uma dupla função. Eles podem evitar recuos e ao mesmo tempo podem promover progressos, promover avanços.

Esta é a idéia dos tratados de direitos humanos, sejam quais forem eles, porque estes tratados vão dialogar. E aí, como já foi dito: direitos demandam deveres. Nós ganhamos direitos, os Estados ganham deveres. Há prestação judicial. Nós temos direito à proteção judicial. O judiciário há de ser um poder independente. Isso tudo também está arquitetado na parte dos direitos – o direito à prestação judicial, um direito que eu tenho de ter. Se o meu direito for violado tem uma proposta que, de alguma forma, restaura esse direito. A democracia e os direitos humanos requerem uma nova leitura, um novo paradigma.

Então, o que eu quero aqui concluir é que pelos tratados nós temos um instrumental, uma estratégia importante de atuação, estratégia essa que consolida parâmetros protetivos mínimos. E esses parâmetros têm essa dupla vocação: promover avanços e evitar retrocessos. Então, eu fecho citando uma última frase que me leva muito ao campo dos direitos humanos. É a seguinte: "os grandes inovadores éticos não foram homens – e acrescentei mulheres – que soubessem mais que os outros. Foram homens e mulheres cujos desejos eram mais impessoais e em maior âmbito que os homens e mulheres comuns, porque a maioria dos homens e mulheres deseja a sua própria felicidade. Considerável percentagem deseja a felicidade de seus filhos. Poucos desejam a felicidade da nação e apenas alguns desejam a felicidade de toda a humanidade. E é nesses alguns, nessa minoria que está o grande motor da inovação do campo ético."

Podem a ética e a cidadania ser ensinadas?

José Sérgio Fonseca de Carvalho

"Reparai: [...] entre o semeador e o que semeia há muita diferença: (..) o semeador e o pregador é o nome; o que semeia e o que prega é a ação; e as ações são as que dão o ser ao pregador. Ter o nome de pregador, ou ser pregador de nome, não importa nada; as ações, a vida, o exemplo, as obras, são as que convertem o mundo. [...]

Hoje pregam-se palavras e pensamentos, antigamente pregavam-se palavras e obras. Palavras sem obras são tiros sem balas; atroam, mas não ferem. O pregar que é falar, faz-se com a boca; o pregar que é semear faz-se com a mão.

Para falar ao vento, bastam palavras; para falar ao coração, são necessárias obras".

Pe. Antônio Vieira

O ideal de uma educação que se empenhe em formar e aprimorar a conduta dos jovens, de forma que esta venha a ser fundada no respeito a certos princípios fundamentais da vida pública e da dignidade do ser humano, - ou seja, o ideal de uma formação para o exercício da cidadania e para a conduta ética -, está entre os objetivos mais amplos e ao mesmo tempo mais consensuais da ação educativa escolar. A lei 9394/96, que estabelece as diretrizes e bases da educação nacional, a ele consagra um lugar de destaque ao afirmar, logo em seu artigo 2º que *"A educação ..., inspirada nos princípios de liberdade e nos ideais de solidariedade humana, tem por finalidade o pleno desenvolvimento do educando, seu preparo para o exercício da cidadania ... "*. Também em outros importantes documentos educacionais, como as Diretrizes e os Parâmetros Curriculares Nacionais, essa meta da ação educativa recebe um tratamento privilegiado. Mas não é só nos discursos educacionais oficiais que o ideal de uma formação ética e para a cidadania é considerado como uma meta prioritária. As propostas pedagógicas das mais diversas instituições escolares - públicas ou privadas -, os discursos dos professores e demais profissionais da educação, os livros didáticos e até mesmo a mídia e os pais parecem insistir na necessidade de que as instituições escolares se voltem com grande ênfase e empenho para essa tarefa, já que dela parecem depender a solidificação e a continuidade de um modo de vida ao qual, pelo menos discursivamente, atribuímos um valor especial.

Nesse sentido, o engajamento das instituições escolares em favor de uma formação geral que resulte no preparo para o exercício da cidadania e se empenhe na promoção de uma conduta fundada em princípios éticos de valorização dos direitos e deveres fundamentais da pessoa deixou de ser um assunto restrito a especialistas e profissionais da educação para se constituir em uma questão de interesse público. Não é raro que discursos ligados a essas preocupações apontem para uma suposta crise de valores que caracterizaria nossa sociedade e para a exigência de que renovemos nossas práticas escolares e nosso currículo, de forma a priorizar e enfatizar

O título deste artigo, bem como a referência ao diálogo Protágoras, inspira-se no artigo de Gilbert Ryle, *Can Virtue be taught?*, que também desencadeou o programa de um curso de Filosofia da Educação I, ministrado no primeiro semestre de 2000 aos alunos do primeiro ano de Pedagogia da Faculdade de Educação da Universidade de São Paulo (FE-USP). A eles gostaria de agradecer e dedicar estas reflexões, em grande parte desenvolvidas nessa ocasião e posteriormente formalizadas.

essas metas, freqüentemente tidas como secundárias ou inexistentes em épocas passadas. Assim, por exemplo, fala-se de uma "escola tradicional"[1] cuja principal preocupação teria sido não com a formação, mas com a transmissão de informações. Fala-se ainda da necessidade de recorrermos às novas teorias educacionais, com suas pretensas bases "científicas", a partir das quais poderíamos desenvolver novas metodologias de trabalho supostamente mais eficazes. Assim concebido, o problema da efetivação de uma educação voltada para a formação ética e para o exercício da cidadania aparece como um "novo desafio", cujo enfrentamento, por sua vez, também exigiria o desenvolvimento de novas abordagens e metodologias de ensino.

É possível que alguns aspectos desse diagnóstico e de suas pretensões sejam verdadeiros. Como veremos há, de fato, elementos e desafios novos nessa tarefa de educar os jovens para que sua conduta se paute em princípios éticos que consideramos valiosos e para que o exercício da cidadania tenha em sua formação um lugar privilegiado. No entanto, é necessário ressaltar que a novidade não reside na identificação do problema, nem em seu caráter urgente, mas possivelmente na abrangência que ele tomou neste século. Já no século IV a.C., por exemplo, ao refletir sobre problemas análogos aos que hoje temos em pauta, Aristóteles escreveu: *"Os homens tornam-se bons e virtuosos devido a três fatores, e estes são a natureza, o hábito e a razão. Ora, a razão e a inteligência são os fins de nossa natureza. Por isso, é necessário preparar-lhes a formação e o cultivo dos hábitos. Já se disse de que natureza devem ser os futuros cidadãos [...]: o resto é obra da educação. Realmente toda arte e educação esforçam-se por completar o que falta à natureza. Ninguém porá em dúvida que ao legislador incumbe, sobretudo, o cuidado da educação ... Pois o costume adequado a cada constituição sói defendê-lo e, no começo, fundá-lo também ... E sempre o costume melhor é causa de melhor constituição ... (e) como o fim de todo Estado é único, torna-se evidente que deve haver uma só e mesma educação para todos, e que o cuidado e a vigilância desta devem ser públicos e não privados ... É claro, então, que compete às leis regular a educação e torná-la pública"*[2] .

Assim como em Aristóteles, a preocupação com a formação ética e com a preparação para a cidadania em instituições públicas de ensino foram temas recorrentes em escritos de vários outros filósofos gregos, que tentaram entender não só sua importância, mas sua natureza específica e sua peculiaridade em relação a outras metas e formas de ensino. Nos diálogos de Platão, por exemplo, essa discussão parte quase sempre de um questionamento radical, em geral empreendido por Sócrates, e formulado em termos que hoje podem nos parecer estranhos, pois ao invés de se perguntar qual seria a melhor maneira de se ensinar os jovens a terem uma conduta ética no plano pessoal e na vida pública, pergunta-se sobre a própria possibilidade dessa tarefa: "**A virtude pode ser ensinada?**". É assim que Sócrates convida Protágoras a expor suas reflexões sobre o assunto para, em seguida, a elas contrapor seus argumentos. Nessa, como em várias outras passagens de obras clássicas, não se procura *métodos de ensino* ou receitas pedagógicas. O que se procura é compreender a natureza do problema que está em questão, ou seja, o que significa ensinar a alguém uma conduta [3] tida como moralmente desejável ou, para colocar a questão nos termos então vigentes, o que é ensinar a **virtude** a alguém e quais os limites dessa tarefa.

Não é a pretensão deste artigo fazer uma análise retrospectiva das diferentes concepções então vigentes ou em disputa. Simplesmente procuraremos, a partir de certos excertos de obras clássicas, pensar alguns problemas atuais do ensino voltado para a formação moral do cidadão. Contudo, talvez não seja ocioso lembrar que o conceito de **virtude** como excelência da conduta moral – a *"areté"* - era para os gregos algo bastante distinto daquilo que hoje assim denominamos [4] . Mas, por outro lado, algumas de suas conclusões e os caminhos então propostos para a abordagem do problema podem se mostrar bastante relevantes em uma reflexão hoje.

Vale lembrar, por exemplo, que a discussão sobre a possibilidade do ensino da virtude na conduta moral só emerge como um problema de interesse geral entre os gregos em função da crescente democratização de que sua sociedade foi objeto. A "areté" na Grécia arcaica não era geralmente tida como algo "ensinável", uma vez que era concebida como hereditária ou como uma "dádiva", um presente dos deuses. A "virtude" - ou "excelência" - do guerreiro belo, bom e corajoso não era mero fruto dos esforços educativos humanos e, por decorrência, não poderia ser extensiva à totalidade da população. Ela era, na verdade, um símbolo distintivo da aristocracia guerreira, que concentrava em si o comando e a gestão da "pólis", da Cidade-Estado. É somente a partir do momento em que a gestão da "pólis" passa a ser acessível a todo e qualquer cidadão [5] , a partir do momento que se cria o espaço público – que por pertencer a todos, não é privilégio de ninguém -, que o problema da educação para a virtude na conduta moral - na vida privada e na pública – torna-se objeto privilegiado de debates e de antagonismos.

Tratava-se, então - como se trata hoje - de se perguntar como formar o homem para que ele se tornasse um cidadão, um membro da coletividade que pudesse tomar para si as responsabilidades e o desafio de criar leis e princípios de convivência com o outro e com o público e conduzir-se de acordo com eles. O problema se torna agudo quando não mais se trata de formar alguns, uns poucos que devem deter o poder, mas de formar *todos os cidadãos* para que, na igualdade que os marca em face da lei (*isonomia*) e do direito à opinião (*isegoria*), eles possam participar ativamente da construção e da gestão do espaço público e da elaboração e legitimação dos princípios morais e legais que os conduzem.

Analogamente, o problema da formação moral no âmbito das instituições escolares e o da busca de promoção de uma conduta fundada em princípios e valores éticos que

[1] O termo "escola tradicional", embora recorrente nos discursos educacionais é de escasso valor descritivo. Ao reproduzi-lo só temos em mente a apresentação do argumento, tal como usualmente ele se explicita, sem entrarmos no mérito das complexas questões subjacentes. Para uma análise mais precisa da confusão a que esse termo tem levado, veja-se o capítulo 3 da obra *Construtivismo: uma pedagogia esquecida da escola* (Porto Alegre: Artmed, 2001), no qual abordamos mais detidamente esse problema.

[2] Aristóteles. *Política.* Livros VII e VII. In The Great Books of the Western World. Vol. 9, pp.541-3.

[3] Como no plano das ações morais não nos referimos apenas a comportamentos mecanizados, mas a decisões de princípios que se materializam em escolhas e ações, preferimos utilizar o termo "conduta" ao invés de "comportamento".

[4] É evidente que o sentido do termo "areté" varia grandemente ao longo da história do pensamento grego, como assinalam Jaeger (1989) e Peters (1974). Como acabamos de ressaltar, não nos interessa aqui a complexa e fascinante história desse conceito. Simplesmente gostaríamos de partir de algumas dessas discussões para refletir sobre possíveis descaminhos tomados por esse tipo de discussão nos discursos educacionais brasileiros.

[5] Como é amplamente sabido, nem todo habitante de Atenas era cidadão ateniense. Somente os homens livres e maiores de 21 anos se enquadram nessa categoria que, portanto, excluía escravos, estrangeiros, mulheres.

nos são caros para o exercício da cidadania responsável é hoje muito mais agudo do que há algumas décadas. E isto não se deve simplesmente ao fato, tão propalado quanto pouco provável, de que as novas gerações são mais difíceis de se educar, de que nestes tempos "pós-modernos" os valores nada têm a dizer aos jovens. De alguma forma, esse diagnóstico sempre foi apresentado – inclusive na antigüidade grega [6] –, o que nos deve levar, no mínimo, a duvidar de sua precisão e de sua utilidade.

Também no Brasil, enquanto a escola pública era privilégio de uma elite, a preocupação e os problemas das instituições escolares com a formação moral de seus alunos eram bem mais restritos. Um aluno indisciplinado, cuja conduta moral era considerada inadequada aos padrões das instituições escolares era simplesmente expulso, seja por sua ação direta, seja pelo acúmulo de sucessivas reprovações que atestavam sua incompatibilidade para com a vida escolar, suas normas de conduta e seus procedimentos. Nesse sentido, às escolas cabia não só formar os alunos, mas também selecioná-los, de acordo com suas capacidades e desempenhos cognitivos e morais. Tratava-se, portanto, de uma escola "aristocratizante", se assim podemos dizer. De uma escola que selecionava os "bons alunos" e recusava-se a acolher a maior parte da população [7].

Ao assim fazer, a escola, sem dúvida, se livrava de uma série de problemas. Mas, por outro lado, não poderia aspirar, como hoje, a ter um papel destacado na construção de uma cidadania plena, porque inclusiva e democrática. A escola seletiva não era pública, mas privativa de uma elite, de uma "aristocracia escolar".

Ora, negar à maioria da população um direito fundamental, como o direito à educação, é restringir o ideal de uma cidadania plena a poucos. Em outras palavras, é instaurar uma "aristocracia", não fundada no privilégio do sangue ou nas escolhas dos deuses, mas justificada num ideal de desempenho escolar abstrato. Assim, colocar hoje a velha questão: "a virtude pode ser ensinada – e deve sê-lo – a todos?" é, novamente, se perguntar sobre a viabilidade e sobre a pertinência moral de se estender a cidadania à totalidade da população, e não só em seus aspectos formais e legais, mas na materialidade de políticas sociais.

Vemo-nos, pois, diante de um dilema que é análogo - embora não o mesmo – àquele examinado pelos educadores e filósofos da Grécia Clássica. Por isso gostaria de lhes propor que retomemos algumas de suas reflexões. Não para tomá-las como respostas prontas aos nossos problemas que, com efeito, são diferentes, mas para que delas possamos partir em direção a uma reflexão sobre a natureza de problemas que hoje temos, se desejarmos que as instituições escolares contribuam para a formação da conduta moral de seus alunos.

Antes mesmo de passar à análise de algumas das respostas clássicas à questão formulada – "a virtude pode ser ensinada?" – pensemos sobre o próprio sentido dessa formulação radical do problema. Por que, por exemplo, Sócrates não pergunta a Protágoras *como* ensiná-la, mas questiona a própria possibilidade de seu ensino? Não creio que Sócrates duvidasse pelo menos do fato de que a conduta moral virtuosa autônoma pudesse ser apreendida e nem mesmo de que a presença de um mestre ou professor teria um papel destacado nesse tipo de empreendimento. Basta, nesse sentido, recordar algumas de suas palavras no momento de sua defesa no julgamento que o condenou à morte:

Outra coisa não faço, diz Sócrates, *"senão andar por aí persuadindo-vos, moços e velhos, a não cuidar tão aferradamente do corpo e das riquezas, como de melhorar o mais possível a alma, dizendo-vos que dos haveres não vem a virtude para os homens, mas da virtude vem os haveres e todos os outros bens particulares e públicos" . [...] Não é conforme à natureza do homem que tenha negligenciado todos meus interesses, sofrendo há tantos anos a conseqüência desse abandono do que é meu, para me ocupar do que diz respeito a vós, dirigindo-me sem cessar a cada um em particular, como um pai ou um irmão mais velho, para o persuadir a cuidar da virtude"* [8] .

Ora, se o próprio Sócrates afirma que toda sua vida e sua missão se concentram na exortação a um aprimoramento da conduta moral de seus concidadãos, por que haveria ele de perguntar a Protágoras se a "virtude" pode ser ensinada, ao invés de simplesmente debater sobre os meios supostamente mais eficazes de fazê-lo? Provavelmente porque ao formular a questão de forma tão radical, Sócrates obriga o diálogo a voltar-se para a própria natureza do problema moral e para a dificuldade de seu ensino, evitando tratá-lo, assim, como uma mera questão de recursos pedagógicos ou de procedimentos didáticos eventualmente comuns às áreas ou disciplinas correntes.

Se a formação moral fosse exatamente análoga ao ensino de uma disciplina específica - como a matemática - ou de uma capacidade técnica - como a de construir barcos -, por que não há professores de "solidariedade" ou cursos de "generosidade"? Por que a idéia de um especialista em "caridade" nos soa absurdo? Vejamos como o próprio Sócrates apresenta o problema que o inquieta:

"Cálias, se teus filhos fossem potros ou garrotes, saberíamos a quem ajustar como treinador para lhes aprimorar as qualidades adequadas; seria um adestrador de cavalos ou um lavrador; como, porém, eles são homens, quem pensas em tomar como treinador? Quem é mestre nas qualidades de homem e de cidadão? Suponho que pensaste nisso por teres filhos. Existe algum ou não existe?

Existe sim, disse ele.

Quem é, tornei eu, de onde é? Quanto cobra?

É Eveno, ó Sócrates, de Paros, respondeu ele, por cinco minas

Fiquei, então, com inveja desse Eveno, se é que é senhor dessa arte e leciona a tão bom preço ... " [9] .

A ironia mordaz e característica de Sócrates ressalta alguns problemas graves e pouco analisados nas tentativas atuais de se tratar da ética na formação dos

[6] Veja-se a esse respeito, por exemplo, a comédia *As nuvens*, de Aristófanes.

[7] Basta lembrar, por exemplo, que até a unificação do exame de admissão, na década de 70, somente 1 em cada 9 alunos tinha acesso ao antigo ginásio, que hoje corresponderia à 5ª série do ensino fundamental.

[8] Ambos extraídos de Platão, *A defesa de Sócrates*. São Paulo: Abril, 1978, p. 21.

[9] Ibidem, p. 14.

jovens: quem é mestre nos valores que devem reger a vida e a conduta dos jovens que educamos? Em que bases pode um professor arrogar-se o direito de transmitir e de cultivar valores e princípios que deveriam guiar a conduta de nossos alunos? E, por outro lado, como podemos negligenciar justamente esse ponto tão crucial da formação educacional?

Talvez uma das melhores respostas a esse questionamento seja a proferida por um de seus adversários, Protágoras, provavelmente o mais destacado representante dos sofistas na época de Sócrates. Ela parece conter pelo menos alguns pontos fundamentais para a compreensão da natureza do ensino e da aprendizagem de condutas morais e de princípios éticos. Destaquemos alguns trechos desse notável diálogo a fim de sobre ele tecer algumas reflexões que podem guardar interesse ainda hoje para os educadores. Ao responder a Sócrates sobre a possibilidade do ensino da excelência moral, Protágoras ressalta que:

"Desde que a criança compreende o que lhe diz, a mãe, a ama, o preceptor e o próprio pai **conjugam** *esforços para que o menino se desenvolva da melhor maneira possível. Toda palavra, todo ato lhes enseja ensinar o que é justo, o que é honesto e o que é vergonhoso .... o que pode e o que não pode ser feito. ...Depois o enviam para a escola e recomendam aos professores que cuidem com mais rigor dos costumes do menino do que do aprendizado das letras e da cítara. [...] não te dás conta (Sócrates) de que todo o mundo é professor de virtude, na medida de suas forças; por isso imaginas que não há professores. Do mesmo modo, se perguntasses onde estão os professores de grego [coloquial] não encontrarias um só"* [10] .

Assim, para Protágoras, da mesma forma que iniciamos o aprendizado de nossa língua através do contato vivo com todos aqueles que a utilizam, o aprendizado de valores éticos, princípios e condutas morais resulta não do contato com um especialista ou de um ensino à parte e específico, mas da convivência difusa com todos os que nos cercam. Não há um especialista em português coloquial, nem nos valores que regem nossa conduta. Tanto a língua como os costumes de um povo são tradições públicas [11] , herdadas, transmitidas e cultivadas no próprio convívio social. É evidente que de ambos os campos se derivaram estudos sistemáticos, aos quais eventualmente podemos recorrer. No entanto, tanto o uso coloquial da língua como as condutas fundadas em valores não são resultantes de aplicações técnicas de um saber especializado, disponível somente àqueles que a ele se dedicam profissionalmente.

Nesse sentido, a educação ética não é uma tarefa de especialistas, mas de toda a comunidade, não é fruto de um esforço isolado, mas de uma ação conjunta e contínua de todo o entorno social. Disso decorrem pelo menos dois desafios fundamentais para uma instituição escolar. O primeiro deles é o caráter fundamentalmente coletivo desse tipo de trabalho. O ensino de uma disciplina isolada, como a matemática ou a história, exige e recorre a especialistas que pretensamente têm as informações e capacidades que o habilitam a ocupar esse lugar institucional de um professor. O trabalho educacional escolar passa pelo ensino de disciplinas específicas, mas está longe de esgotar-se nele. Não podemos tomá-lo, nas atuais condições históricas, como resultante de uma relação pessoal isolada ou como se cada professor fosse um "preceptor" isolado em sua relação pessoal com os alunos e a escola uma simples somatória dessas relações individualizadas[12]. A escola é regida por uma série de valores, práticas e objetivos institucionais decorrentes da peculiaridade de sua história e de sua tarefa social de iniciação dos jovens no mundo público.

O êxito, maior ou menor, nessa tarefa de iniciação dos jovens no mundo público dos valores e dos princípios éticos depende, pois, de um esforço conjunto de toda instituição, no qual cada professor ou profissional da educação, além de sua função específica, representa um agente institucional, comprometido com uma série de valores que se traduzem em responsabilidades e atitudes educativas próprias ao mundo escolar. Como ressalta Arendt "*... o educador está aqui em relação ao jovem como representante de um mundo pelo qual deve assumir responsabilidade, embora não o tenha feito e ainda que secreta ou abertamente possa querer que ele fosse diferente do que é. Essa responsabilidade não é imposta arbitrariamente aos educadores; ela está implícita no fato de que os jovens são introduzidos por adultos em um mundo em contínua mudança. Qualquer pessoa que se recuse a assumir a responsabilidade coletiva pelo mundo não deveria ter crianças, e é preciso proibi-la de tomar parte em sua educação*"[13].

É evidente que a "responsabilidade pelo mundo", a que se refere Arendt, não é uma responsabilidade individual. Ela decorre do fato de que as gerações mais velhas, às quais pertencem os professores, são simultaneamente produtos e produtoras do *mundo* - do conjunto das heranças culturais de um povo - cujos conteúdos, linguagens e procedimentos legamos às gerações seguintes através da educação. A essa responsabilidade coletiva não podemos escapar, pelo menos se tivermos como ideal de vida - ou no mínimo como escolha profissional - ser professores e atuar em instituições escolares.

Uma segunda possível decorrência da visão exposta por Protágoras é o reconhecimento de que a escola é apenas uma dentre as várias instituições sociais com as quais os alunos convivem e a partir das quais seus valores e atitudes se formam. A família, os amigos, as igrejas e mesmo sua exposição à mídia, concorrem para a formação de valores que, por vezes podem ser coincidentes, mas muitas vezes entram em conflito aberto ou velado com os interesses e valores próprios do mundo escolar. Disso poderíamos inferir que seria pequeno o papel das instituições escolares? De forma alguma. No mesmo diálogo, algumas linhas a seguir, Protágoras prossegue expondo um quadro que nos interessa ainda mais de perto, pois focaliza o problema da formação ética em relação à ação docente:

[10] Platão, *Protágoras*. p. 244 e 246 (grifos nossos).

[11] O termo "tradição" por vezes tem uma conotação negativa, que o identifica com algo arcaico, em desuso ou mesmo dogmático. Não é esse, evidentemente, o caso neste contexto. Uma "tradição pública" - como a língua portuguesa - é um saber de um povo, de uma nação ou civilização no qual os novos são iniciados. Trata-se, portanto de uma realização histórica que herdamos, incorporamos e inovamos, de um legado cultural específico, cujos critérios de uso e avaliação são públicos e sujeitos a constantes transformações, como as línguas, as ciências, as artes etc.

[12] Cf. *Indicação CEE 7/2000.*

[13] Hannah Arendt. *Entre o passado e o futuro.* São Paulo: Perspectiva, 1978. P. 239.

"... quando o aluno começa a ler e começa a compreender o que está escrito ... dão-lhe ... a ler obras de bons poetas ... prenhe de conceitos morais ... do mesmo modo procedem os professores de cítara; envidam esforços para deixar temperantes os meninos e desviá-los da prática de ações más" [14] .

Assim, a formação moral é resultante, para Protágoras, de um esforço educativo que não se separa dos próprios valores, procedimentos peculiares às instituições escolares e às disciplinas e conteúdos nelas ensinados. Ao ler os "bons poetas", o aluno entra em contato com os feitos e personagens que merecem louvor ou censura, porque foram corajosos ou covardes, por exemplo. Ao se iniciarem na literatura de um povo, os alunos entram em contato com os dramas humanos e os valores neles envolvidos, com sentimentos e ações fundados na solidariedade e no egoísmo, no respeito ou no desrespeito ao outro. Aprendem, assim, a admirar ou desprezar condutas e nelas se espelhar em suas angústias e decisões.

Ao "aprenderem a cítara", aprendem também o valor da harmonia. Não como simples resultado de uma exposição verbal do professor acerca de sua importância, mas por meio de seu esforço através do próprio ensino da música. Nesse sentido, o ensino de valores fundamentais não é objeto de um momento especial, de uma preocupação pontual ou simplesmente de uma "tematização transversal" à qual se expõe o aluno, como a um ponto de um programa. Ao contrário, os princípios e valores característicos da instituição escolar estão contidos nos próprios conteúdos aprendidos, nas próprias formas de conhecimento ensinadas e, portanto, se encarnam nas atividades e práticas docentes que o materializam como conteúdos didáticos. Assim, o cultivo de valores fundamentais pode - e deve - estar presente no desenvolvimento de cada uma das atividades e disciplinas de nosso ensino.

Ao ensinar uma simples composição escolar, por exemplo, um professor pode – ou não – buscar desenvolver em seus alunos o valor da precisão, do capricho ou do rigor. Para isso é possível que ele discorra sobre sua importância, mas seguramente não é sequer necessário. É possível ensinar alguém a ser caprichoso, sem necessariamente dizer-lhe que o capricho é um valor e que ele deve cultivá-lo, assim como é possível ensinar alguém a gostar de música, sem que lhe digamos "goste de música, ela é uma expressão importante da cultura humana".

Analogamente, ao ensinar uma teoria científica podemos fazê-lo de forma dogmática ou, ao contrário, esforçando-nos por apresentar as razões que sustentam as conclusões, discutindo-as e justificando-as aos nossos alunos. Neste caso estaremos, *na prática*, iniciando nossos alunos nos princípios fundamentais que historicamente têm caracterizado os ideais subjacentes às práticas das comunidades científicas e, em grande parte, da própria instituição escolar.

Ao procurar caracterizar a ciência como uma forma particular de conhecimento, o filósofo Karl Popper, por exemplo, afirma que a tradição científica *"não se origina numa coleção de observações ou na invenção de experimentos, mas sim na discussão crítica dos mitos, das técnicas e práticas mágicas. [Ela] se distingue da tradição pré-científica por apresentar dois estratos; como esta última, ela lega suas teorias, mas lega também com ela uma atitude crítica [...]. As teorias são transferidas não como dogmas, mas acompanhadas por um desafio para que sejam discutidas e se possível aperfeiçoadas. Essa tradição é helênica e remonta a Tales, fundador da primeira escola a não se preocupar fundamentalmente com a preservação de um dogma"*[15].

Nesse sentido, o cultivo de um princípio, como a valorização do espírito crítico e da análise de concepções alternativas, não se desvincula do próprio ideal de iniciação nas ciências. Ao contrário, um ensino que o incorpore respeita não só um ideal caro à ciência, como um procedimento fundamental à democracia e à própria instituição escolar. Pois, como afirma Scheffler, *"o ensino poderá, certamente, proceder mediante vários métodos, mas algumas maneiras de levar pessoas a fazerem determinadas coisas estão excluídas do âmbito padrão do termo 'ensino'. Ensinar, no seu sentido padrão, significa submeter-se, pelo menos em alguns pontos, à compreensão e ao juízo independente do aluno, à sua exigência de razões e ao seu senso a respeito daquilo que constitui uma explicação adequada. Ensinar a alguém que as coisas são deste ou daquele modo não significa meramente tentar fazer com que ele o creia; o engano, por exemplo, não constitui um método ou modo de ensino. Ensinar envolve, além disso, que se tentarmos fazer com que o estudante acredite que as coisas são deste ou daquele modo, tentemos, ao mesmo tempo, fazer com que ele o creia por razões que, dentro dos limites de sua capacidade de apreensão, são nossas razões"*[16].

É obvio que tanto Scheffler quanto Popper não se limitam a dar uma descrição de "ciência" e de "ensino". Com suas concepções eles veiculam certos valores que devem animar cada uma dessas instituições sociais: a ciência e o ensino escolar. Mais importante ainda, ambos sugerem que o aprendizado desses princípios e valores não se dá pela sua simples veiculação verbal. Ao contrário, sua transmissão e preservação dependem das práticas sociais de seus agentes, da consciência que estes têm dos princípios que as animam e do significado de seus esforços no sentido de traduzi-las, aplicá-las e mantê-las vivas. O exemplo comparativo entre os princípios da atividade científica e do ensino escolar não foi aleatório.

A crítica ao dogma, a apresentação e discussão pública das razões são valores subjacentes e fundamentais tanto à ciência e à educação escolar como à democracia. A melhor forma de cultivá-los e transmiti-los como um dos mais importantes legados culturais da humanidade é torná-los presentes não só em nossas palavras, mas em nossas ações como professores e profissionais da educação. Por essa razão, eles são um exemplo frisante da idéia de Aristóteles de que a conduta moral não decorre da simples consciência de certos princípios, nem da posse ou da enunciação de imperativos e máximas morais, mas é resultante de um constante exercício prático

[14] Platão. *Protágoras.*
[15] Karl Popper. *Conjecturas e Refutações.* Brasília: Universidade de Brasília (UnB), 1982. P. 80/ (grifos nossos).
[16] Israel Scheffler. *A linguagem da Educação.* São Paulo: Eduz/Saraiva, 1978, pp.70-1.

neles fundado: *"A virtude [...] recebe do ensino a geração e o desenvolvimento, por isso necessita de experiência e tempo; a ética provem do hábito [...] portanto as virtudes não se geram por natureza ou contra a natureza, mas se geram em nós, nascidos para recebê-las e aperfeiçoando-nos mediante o hábito [...]nós [as] conseguimos pela* ***ação****, porque, como nas outras artes, o que é preciso primeiro aprender para fazê-lo, aprendemos fazendo-o, tal como nos tornamos construtores construindo, ou tocadores de cítara tocando. Assim também,* ***realizando ações justas ou sábias ou fortes tornamo-nos sábios, justos ou fortes****"* [17]. Ao que, acrescentaria que é sendo um professor justo que ensinamos o valor e o princípio da justiça aos nossos alunos, sendo respeitosos e exigindo que eles também o sejam é que ensinamos o respeito, não como um conceito, mas como um princípio de conduta. Mas é preciso ainda ressaltar que o contrário também é verdadeiro, pois se as virtudes, como o respeito, a tolerância e a justiça são ensináveis, também o são os vícios, como o desrespeito, a intolerância e a injustiça. E pelas mesmas formas.

Uma pequena nota final:

Em algumas ocasiões em que tive a oportunidade de apresentar este texto a professores do ensino fundamental e médio surgiu uma série de questões tão inevitáveis quanto difíceis de serem respondidas: quais são esses valores cujo cultivo deve ser a meta das instituições escolares? Como escolhê-los dentre a multiplicidade de visões éticas presentes em nossa sociedade? Que ações são incompatíveis com esses princípios?

É evidente que esses são problemas que escapam às nossas preocupações iniciais, mas cuja urgência - e a concretude - desaconselham tanto as respostas fáceis, porque excessivamente abstratas, quanto a atitude, igualmente fácil, de ignorá-los. Vale, contudo, apenas ressaltar um conjunto breve de observações a esse respeito.

A primeira delas é que, por um lado, o próprio ordenamento jurídico de nosso país, materializado em nossa Constituição Federal, aponta para certos princípios éticos, como a solidariedade, o cultivo da liberdade de opinião e discussão, a solidariedade, bem como uma série de direitos econômicos e sociais, como fundamentais para a vida em sociedade. A instituição escolar, deve, portanto, não só reconhecê-los como princípios éticos fundamentais, como promovê-los em suas ações e discursos, já que ela se filia a um ideal de conduta apontado como elemento programático comum à nação na qual ela pretende iniciar seus alunos. Mas também é evidente que o problema não se encerra nesses grandes princípios gerais. Até porque sua simples aceitação não resulta num curso de ação claro e inequivocamente operacionalizável [18].

Nessa, como em tantas questões polêmicas ligadas aos valores de uma sociedade, talvez sequer faça sentido procurar apontar caminhos prontos e soluções gerais. Até porque esse tipo de empreendimento revelaria uma prepotência descabida, como vimos por ocasião da própria fala de Sócrates. Isso não nos impede, no entanto, de pelo menos sugerir que a gravidade do problema e a urgência de seu encaminhamento recomendam muito mais o convite a uma discussão séria dos princípios morais que devem guiar a ação docente do que a propagação de "verdades últimas" e "receitas infalíveis". Nesse sentido, parece-me que cabe à universidade, bem como aos órgãos governamentais, não a apresentação de "visões iluminadas", mas um esforço elucidativo que torne patente a natureza dos desafios que temos. Somente uma comunidade escolar, na concretude de seus desafios cotidianos, poderá estabelecer de forma significativa seus parâmetros de ação ética, por meio de uma discussão constante dos princípios gerais de nossa cultura e dos compromissos históricos de nossas instituições de ensino.

[17] Aristóteles. *Ética a Nicômaco.* Brasília: Universidade de Brasília(Unb).

[18] Ryle, comentando a freqüente ilusão de que a comunhão de princípios basta para uma ação eficaz, ressalta com ironia que "não nos tornamos um general astuto pelo simples fatos de compartilharmos os princípios de Clausiwitz. (cf. *The Concept of Mind*, cap. 2).

Bibliografia

Arendt, H. *Entre o passado e o futuro.* São Paulo, Perspectiva, 1978.

Aristóteles. *Ética a Nicômaco.* Brasília, Unb, 1982.

__________. *Política.* In: *Great Books of Western World.* Chicago, Britannica, 1956.

Azanha, J. M. *Proposta pedagógica e autonomia da escola.* In: *Cadernos de História e Filosofia da Educação.* Vol. II, n. 4, p. 11-21, 1988.

Brasil. Sec. De Educação Fundamental. *Parâmetros Curriculares Nacionais; apresentação dos temas transversais, ética.* MEC/SEF 1997.

Platão. *Apologia de Sócrates.* In: Col. *Os Pensadores.* São Paulo, Abril, 1976.

______. *Protágoras.* In: *Diálogos.* Difel.

Popper, K. *Conjecturas e Refutações.* Brasília, Unb, 1986.

Peters, R. *Educação como iniciação.* In **Archambault** (org.). *Educação e análise filosófica.* São Paulo, Saraiva, 1976.

Ryle, G. *Can virtue be taught?* In **Dearden et alli.** (Orgs.) *Education and the development of reason.* Londres, RKP, 1972.

Scheffler, I. *A linguagem da Educação.* São Paulo, Edusp/Saraiva, 1978.

Segurança Pública e Direitos Humanos: duas agendas possíveis?

Davi de Paiva Costa Tangerino

1. Introdução

A violência é um problema social universal. Em todas as nações e culturas, o fenômeno da violência se mostra presente em maior ou menor grau. Mesmo naquelas onde os fenômenos violentos são estatisticamente menos intensos, atos isolados geram grande repercussão social.

Violência, aqui, será entendida como aquele ato arbitrário, dirigido contra um agente provocado ou não, que gere repercussões físicas. Assim, as violências institucionais, midiáticas, religiosas, psicológicas, etc. serão excluídas dessa análise.

Historicamente, dois são os discursos em resposta à violência ou à criminalidade violenta.De uma maneira bem geral, podemos chamá-los de conservador e progressista ou, em terminologia já em desuso, de discursos de direita e esquerda, respectivamente.

Podemos expor resumidamente os mencionados discursos e quais os impactos que estes geraram em nosso país. Em seguida, criticaremo-os e apontaremos um possível caminho de conciliação entre a necessidade de um aparato de justiça penal eficaz e a proteção dos direitos humanos.

2. O que é o sistema de justiça penal?

Para pensarmos o sistema de justiça penal, propomos uma comparação com uma esteira rolante. No início da esteira temos todos os cidadãos. Ao fim da esteira temos os condenados cumprindo pena. Alguma coisa faz com que os cidadãos no começo da esteira andem até o final da mesma sendo condenados.

A esteira é o sistema de justiça penal. Cada passo da esteira corresponde a um órgão do sistema de justiça, como veremos. Quanto mais no início da esteira, maior o número de cidadãos sujeitos ao órgão do sistema. Quanto mais ao fim, menor o número de pessoas sujeitas ao órgão.

O primeiro órgão que analisaremos é o Congresso Nacional. A ele cabe essencialmente criar leis que vigem em todo o território nacional. As leis penais, ou seja, as leis que criam os crimes existentes no Brasil são sempre leis federais. No Brasil, acontece o oposto dos Estados Unidos, onde cada Estado tem seu próprio código penal, além de alguns poucos crimes federais. Em resumo, aquelas condutas que são criminosas em São Paulo são criminosas no Rio de Janeiro, na Bahia, no Rio Grande do Sul, no Piauí, enfim, em todos os Estados do Brasil.

A esse órgão do sistema de justiça penal estão subordinados todos os cidadãos do Brasil. Todos nós estamos sujeitos às leis federais independentemente de quaisquer características. As leis federais valem, igualmente, para todos. Então, 100% dos brasileiros estão sujeitos ao primeiro órgão do sistema de justiça.

O segundo órgão desse sistema é a polícia. A ela cabe, dentre outros, apurar os crimes cometidos dentro de uma determinada região do país. A organização do aparato policial brasileiro é muito complexa. A União tem uma polícia: a Polícia Federal. Esta se subdivide conforme a especialidade: ambiental, rodoviária, etc. Os Estados, por sua vez, têm duas polícias: uma civil e outra militar. À civil cabe a investigação dos crimes; à militar cabe a repressão dos atos que atentam contra a ordem pública.

Embora todos nós devamos respeito à polícia, um número menor de cidadãos são objetos de inquérito policial. Já podemos, então, perceber que quando andamos na esteira diminui o número de pessoas sujeitas ao órgão.

Alguns inquéritos policiais acabam inconclusivos; outros concluem que o fato não era criminoso (um suicídio e não um homicídio, por exemplo); outros acabam indicando um possível autor do crime. Para que a esteira ande, só nos interessam aqueles inquéritos policiais que acabam por concluindo pela existência do crime e pela possibilidade de autoria de alguém. Ou seja, de todos os inquéritos apenas um número menor segue para o próximo órgão do sistema: o Ministério Público.

Também o Ministério Público se divide em estadual e federal. Ao Ministério Público cabe, dentre outros, processar criminalmente as pessoas. O Promotor de Justiça, representante do Ministério Público, recebe o relatório do Delegado de Polícia e, com base no relatório, decide processar ou não a pessoa indiciada pela Polícia. O juiz deverá concordar com a decisão do promotor. Novamente diminui o número de pessoas.

Chegamos, assim, ao quarto órgão do sistema de justiça penal: a Magistratura. Ela é composta pelos juízes sejam eles federais ou estaduais. Ao Poder Judiciário cabe, dentre outros, dizer se a pessoa processada criminalmente é ou não culpada. Se for culpada, o juiz deverá determinar a duração da pena daquela pessoa. Como algumas pessoas são consideradas inocentes, apenas um número inferior em relação ao total dos processados é, finalmente, condenado e segue para o quinto órgão do sistema: o sistema carcerário.

O sistema carcerário é composto pelas unidades prisionais. É nesses locais que os condenados cumprem sua pena. Existem as unidades de regime fechado e de semi-aberto, em que o condenado trabalha de dia e à noite volta para o presídio.

Depois de cumprida a pena, o sujeito volta à liberdade, ou seja, ao primeiro passo da esteira.

3. O discurso conservador

O ponto de partida teórico do pensamento conservador é a crença de que o sistema de justiça penal possa ele próprio extirpar a violência da sociedade. Assim, as propostas conservadoras são todas nos sentido de reforçar o sistema punitivo.

Façamos uma breve análise de como cada órgão do sistema foi reforçado no Brasil durante década de 90.

3.1. O Congresso Nacional

Na última década, cerca de 200 novos crimes foram criados. No Brasil, condutas absolutamente raras são consideradas criminosas. Um exemplo é o crime de molestação de cetáceos, ou seja, é crime causar algum mal físico às baleias. Outras condutas, embora freqüentes, são também consideradas criminosas, em que pesem não gerarem grande comoção social: arrancar cascas de árvores para fazer chás e pichação de muros, por exemplo.

O que está por trás desse sem número de leis penais é a crença na pena. Se ao invés de uma multa, o Estado impuser uma pena (que diminui os direitos ou a liberdade de alguém), então menos pessoas cometerão aquelas condutas.

Isso não é verdade por uma série de razões:

1) São tantos os crimes que as pessoas sequer os conhecem.

2) Não está provado que as pessoas temem menos multa do que penas, por exemplo. No caso do trânsito, as altas multas são eficazes e no caso do porte de entorpecentes a pena, embora alta, é ineficaz.

3) Ainda que as pessoas temam a pena, muitas vezes sabem ou apostam que não serão pegas e depois condenadas.

4) Quem é mais abastado sempre acredita que se dê um jeitinho brasileiro.

Outro movimento observado no Brasil quanto às leis penais é o do endurecimento das penas. A Lei de Crimes Hediondos criou uma série de crimes considerados hediondos, desde tráfico de drogas até falsificação de xampu. Em razão dessa lei, toda a pena deve ser cumprida em regime fechado e o preso perde uma série de direitos – como veremos oportunamente.

Em sua obra Crimes Hediondos, Alberto Silva Franco demonstra que todos os crimes considerados hediondos cresceram na década de 90. Ou seja, de nada adiantou o endurecimento trazido por essa lei no campo da diminuição da ocorrência dos tais crimes hediondos.

3.2. A Polícia

A polícia é dos órgãos mais controversos e socialmente criticados. Basicamente as pessoas associam à polícia as imagens de corrupção e violência. Não se pode dizer que tais visões são erradas. A corrupção de fato grassa – quem nunca recebeu uma "sugestão" de propina por um guarda de trânsito ou rodoviário?

A explicação sobre a truculência da polícia, porém, tem uma explicação histórica e institucional. Quando o Brasil ainda era dividido em Províncias e não em Estados, cada Província tinha seu próprio Exército Provincial. Com a federalização do Brasil, os Estados não podiam mais ter exércitos e resolveu-se, então, transformar o exército provincial em Polícia Militar.

Até hoje a formação da Polícia Militar é muito semelhante com a do Exército. Sua truculência vem de um órgão criado para agir em situação de guerra, com inimigos e não com cidadãos civis.

O discurso conservador é sempre no sentido de reforçar a belicosidade e a truculência da polícia com o pretexto de aumentar a eficiência da mesma. Em verdade, acreditam que uma polícia violenta seja mais competente na captura de criminosos.

3.3. Ministério Público e Magistratura

O discurso aqui é muito semelhante, razão pela qual trataremos dos temas conjuntamente. Como já viemos demonstrando, vige a crença no poder da pena na diminuição da violência. O MP e a Magistratura reproduzem fielmente este discurso.

Alguns exemplos são claros.

1) As penas aplicadas aos casos concretos crescem a cada dia. Em 1999, quando eu estagiava na assistência jurídica gratuita, ao crime de roubo (sendo o réu primário) era dada a pena de 5 anos e 4 meses –que nós chamávamos de padrão. Hoje essa pena inflacionou e chega a 6 anos e 2 meses.

2) Há uma forte resistência à aplicação das penas alternativas. Essas penas foram criadas para que não se mandasse para a cadeia pessoas que cometeram pequenos delitos. Ocorre que o MP e a Magistratura se recusam a aplicá-las. Assim, enquanto centenas de presos dividem cubículos, as vagas para penas alternativas em nosso Estado estão ociosas.

3) Recentemente, um juiz do Fórum Central passou um abaixo-assinado para todos os juízes "convidando-os" a sempre darem a pena máxima. A pena correta seria corrigida quando da apelação pelo Tribunal de Justiça. Além de absurda, a proposta ignora que uma apelação demora cerca de três anos para ser julgada, tempo muitas vezes maior que o da pena a ser cumprida.

3.4. Sistema Carcerário

Nosso último ponto de análise será o sistema carcerário. Todos sabemos a situação aviltante em que se encontram os presos no Brasil. Em que pese diversas previsões legais de condições mínimas de higiene e saúde nos presídios, esses são verdadeiros depósitos humanos.

Não há programas profissionalizantes, nem educacionais. Todo o tempo é ocioso. Nesse contexto, toda a irritabilidade do preso é canalizada para rebeliões. Eu me rebelaria se tivesse que ficar alguns anos preso em um local onde eu não pudesse fazer nada de produtivo, não tivesse as mínimas condições de higiene e tivesse de dormir em sistema de rodízio porque na cela para seis pessoas moram 60 presos.

Assim, o sistema carcerário vira verdadeira máquina de fazer bandidos cada vez mais perigosos e agressivos. Mesmo assim, os conservadores entendem que a pena máxima vigente no Brasil deva crescer de 30 para 40 anos. Há os que defendem a prisão perpétua ou a pena de morte. Isso sem mencionar a fabulosa idéia de encarcerar jovens de 14 anos com traficantes profissionais.

4. Dá para conciliar?

A resposta é sim. O Estado tem o dever de punir aqueles que cometem crimes.

Mais quais crimes? Punir como?

Será que todos os mais de 200 crimes criados na década de 90 do século passado são puníveis com a cadeia? Eu acho que não. Quando um jovem picha um muro de fato agride o meio ambiente urbano. Mas o que vale mais: o meio urbano ou a liberdade do jovem? Eu entendo que seja a liberdade. Assim eu não posso punir com a restrição de liberdade uma ofensa a um bem menor do que a liberdade: o meio ambiente urbano.

É como se eu reagisse a um xingamento bobo com um tiro de bazuca. É completamente desproporcional.

Mas alguém dirá que os grandes assassinos e os grandes criminosos devam ir para a cadeia. Concordo. Mas para qual cadeia? Ou melhor, porque eu mando alguém para a cadeia?

Por um lado para punir. De fato, o agressor deve ser punido com a restrição de sua liberdade, um de seus bens maiores. Mas eu não posso somar a essa punição a perda do direito à saúde, à dignidade, a condições humanas de existência, enfim, prender não é necessariamente ser abandonado a sua própria sorte em um local fétido e desumano.

Isso porque um dos aspectos da pena deve ser a possibilidade de o sujeito se reinserir na vida social. Assim, ele deve ter a oportunidade de estudar, de aprender um ofício, enfim, de crescer como ser humano. Essa é a única possibilidade de ele sair da cadeia com um objetivo de vida, com a vontade de ser um sujeito decente, de não se envolver novamente com a criminalidade.

Sem dúvida que a polícia deve prender. Mas ela deve, também, ser capaz de prevenir o crime. Ela precisa conhecer a região onde atua, ter confiança do bairro para que os bandidos possam ser delatados. Assim, a truculência não pode ser a base da relação policial com o cidadão dito comum, nem com aquele que ele suspeita ser um bandido.

Em resumo, ninguém pode retirar a dignidade de outra pessoa. Nem mesmo o Estado. Respeitar a dignidade não exclui a punição. É possível conciliar essas duas agendas. Mas para isso temos de abrir mão do fetiche da pena restritiva de direitos e aceitar de uma vez por todas que todos os cidadãos têm seus direitos humanos garantidos e que, independentemente da conduta que tenham cometido, têm um bem que ninguém pode ignorar chamado dignidade.

Identidades, diferenças

Sergio Gardenghi Suiama

Em um de seus ensaios, Jorge Luis Borges cita uma "certa enciclopédia chinesa" na qual será escrito que "os animais se dividem em: a) pertencentes ao imperador, b) embalsamados, c) domesticados, d) leitões, e) sereias, f) fabulosos, g) cães em liberdade, h) incluídos na presente classificação, i) que se agitam como loucos, j)inumeráveis, k) desenhados com um pincel muito fino de pêlo de camelo, l) *et cetera*, m) que acabam de quebrar a bilha, n) que de longe parecem moscas" [1].

O texto é engraçado, mas também causa incômodo porque subverte a ordem de nosso pensamento classificatório, fazendo cintilar "os fragmentos de um grande número de ordens possíveis na dimensão sem lei nem geometria, do heteróclito" [2]. Nossa razão determina que os animais, as coisas e também as pessoas sejam agrupados segundo critérios previamente definidos, construídos a partir dos códigos fundamentais da cultura; além disso, não temos o hábito de questionar que critérios são esses e para que eles servem. A "enciclopédia chinesa" de Borges provoca estranhamento justamente porque põe em relevo esta forma singular que encontramos de conhecer e manipular o real, qual seja, a redução da multiplicidade das figuras à posição e à ordenação [3] .

Nomear, definir, classificar, ordenar. Sabemos, graças à crítica radical formulada por Adorno e Horkheimer, que são esses os procedimentos adotados pelo Iluminismo para nos libertar do medo do desconhecido, do estranho, "[d]aquilo que transcende o âmbito da experiência, [d]aquilo que nas coisas excede o seu existir antecipadamente conhecido" [4]. "Lá fora não deve haver mais nada, porque a mera representação do lá fora é a verdadeira fonte da angústia" [5].

O preço cobrado pela "libertação", porém, é alto: "a sociedade burguesa é dominada pelo equivalente. Ela torna comparáveis as coisas que não têm denominador comum, quando as reduz a grandezas abstratas. O que não se pode desvanecer em números, e em última análise, numa unidade, reduz-se, para o Iluminismo, a aparência e é desterrado, pelo positivismo moderno, para o domínio da poesia". Em conseqüência, a riqueza das qualidades sucumbe diante da unidade da natureza, e esta torna-se o "material caótico de uma simples classificação" [6]. As múltiplas afinidades entre os entes são empobrecidas e a fantasia é atrofiada.

Mas o que tem isso que ver com o tema do direito à diferença e a proteção jurídica das minorias? Parece-me que tudo.

[1] O ensaio é *"El idioma analítico de John Wilkins"*. Foucault, no prefácio do livro "As Palavras e as Coisas" (São Paulo: Martins Fontes, 2002, p. IX) cita esse texto.
[2] Michel Foucault, *As Palavras e as Coisas*, op. cit., p. XII.
[3] A expressão é de Adorno e Horkheimer, na *Dialética da Razão: fragmentos filosóficos, apud Textos Escolhidos*, São Paulo: Nova Cultural, 1989, p. 6.
[4] *Dialética da Razão*, op. cit., p. 11.
[5] *Idem*, p. 6.
[6] *Idem*, p. 8.

Com efeito, desde a infância adquirimos o estranho hábito de classificar pessoas. Dizemos que alguém é bandido, estrangeiro, louco, homossexual, índio ou negro, e achamos isto muito natural. Ora, não há nada de natural nessas divisões sociais preestabelecidas. Ocorre que estamos tão acostumados a dividir as pessoas em classes, que não mais indagamos a razão de ser dos arranjos feitos[7]. O significado da palavra "estrangeiro", por exemplo, só pode ser compreendido no contexto de formação e consolidação dos Estados-nacionais, a partir do século XVI. Para um homem da Idade Média, muito mais relevante talvez seria dividir o mundo entre cristãos e infiéis. Do mesmo modo, nenhum sentido haveria em qualificar Sócrates, na Grécia antiga, como "homossexual", pois a designação data da segunda metade do século XIX[8]. O século XIX, aliás, foi pródigo na invenção de personagens: apenas no campo das perversões sexuais, havia os exibicionistas, os fetichistas, os zoófilos e os zooerastas, os automonossexualistas, os mixoscopófilos, os ginecomastos, os presbiófilos, os invertidos sexoestéticos e as mulheres disparêunicas. "A mecânica do poder que ardorosamente persegue todo esse despropósito" - acrescenta Michel Foucault - "só pretende suprimi-lo atribuindo-lhe uma realidade analítica, visível e permanente: encrava-o nos corpos, introdu-lo nas condutas, torna-o princípio de classificação e de inteligibilidade e o constitui em razão de ser e ordem natural da desordem. Exclusão dessas milhares de sexualidades aberrantes? Não, especificação, distribuição regional de cada uma delas. Trata-se, através de sua disseminação, de semeá-las no real e de incorporá-las ao indivíduo"[9].

A razão de ser desses arranjos, me parece, é a dominação e a exclusão de todos os sujeitos e grupos que não se comportem de acordo com o padrão instituído pela maioria. Na expressão do psicanalista Jurandir Freire Costa, "a estabilidade da cultura, sem a qual não existiriam recorrências de regras e tampouco subjetividades que se reconhecessem como subjetividades, dá-se às custas de diferenças e oposições ao que não é idêntico. Uma cultura só reconhece sua identidade distinguindo-se de outras. *Mutatis mutandis*, o mesmo ocorre com a identidade do sujeito e, finalmente, com os ideais de eu. Para que um ideal de eu mantenha-se operante é preciso que existam casos ou ocorrências subjetivas que contrariem ou não cumpram os requisitos exigidos para a realização do ideal. Assim a construção de subjetividades ideais implica, *ipso facto*, a figura da antinorma ou do desvio do ideal, representada pelos que *não podem, não sabem ou não querem seguir as injunções ideais.* A esses, diz Freud, é reservada a posição de objeto do desejo de destruição da maioria que em nome da norma ideal outorga-se o poder de atacar ou destruir física ou moralmente os que dela divergem ou simplesmente se diferenciam"[10].

Em outras palavras: a afirmação da identidade de cada um é feita a partir do confronto com a figura do "outro". A construção da alteridade, porém, é social e segue, na maioria das vezes, a lógica da dominação e da exclusão. Não por acaso, muitas palavras derivadas da raiz latina alter - subalterno, adúltero, adulterado, alterado - possuem um conteúdo depreciativo. Reafirmamos, através da linguagem, a superioridade do "eu" em relação ao "outro". Os afrodescendentes, os índios, os portadores de deficiência física, os loucos e os homossexuais não pertencem apenas a "classes" diferentes de pessoas: são também "naturalmente" inferiores porque não possuem os atributos físicos ou psíquicos definidos como "normais" pela maioria ou pela classe dominante.

Hoje parece um disparate, mas há menos de um século, o historiador Oliveira Viana contestava o fato de que "os grandes centros de cultura nas regiões centrais da África" eram criações da "raça negra", pois "o negro puro não foi nunca um criador de civilizações"[11]. Outros exemplos podem ser lembrados. A superioridade da "raça ariana", como se sabe, era um dos pilares do nacional-socialismo alemão. A noção biológica de "raça" já foi praticamente abandonada pela ciência; em contrapartida, há pesquisadores no presente empenhados na busca do "gene da homossexualidade". Em todos esses casos, se obedece à mesma lógica: nomear, definir, classificar e ordenar, para afirmar a superioridade do "eu" sobre o "outro".

Mas não é apenas por intermédio do discurso científico que essa pretensa superioridade é reproduzida no cotidiano. O *estereótipo*[12] é um recurso freqüentemente empregado para demarcar o espaço da exclusão. Os afrodescendentes são particularmente vítimas dessa forma de preconceito. Basta lembrar os papéis que lhes são tradicionalmente reservados na televisão brasileira. Os vemos como empregados domésticos, assaltantes, pagodeiros ou jogadores de futebol; jamais, porém, como juízes, médicos e engenheiros. O mesmo acontece com as mulheres. Um aluno desavisado poderá encontrar, por exemplo, o seguinte texto em um livro didático: "debaixo de sol ou chuva, o papai vai trabalhar para dar todo conforto ao nosso querido lar. Papai *trabalha* para sustentar a casa e mamãe *trata* do lar, do marido e dos filhos"[13].

Também os silêncios são parte integrante das "estratégias que apóiam e atravessam os discursos" do preconceito[14]. Parece incrível, mas nas revistas femininas editadas no Brasil quase não há fotografias de afrodescendentes, não obstante ao menos metade da população nacional ser composta por negros e pardos. A invisibilidade, como se vê, é uma forma de exclusão.

As vítimas desses processos de dominação não são apenas os que são alvo do preconceito. À maioria que mais ou menos segue o padrão vigente restam o empobrecimento da experiência, a massificação e a intolerância. O próprio étimo da palavra "preconceito" ("idéia, opinião ou sentimento desfavorável formado *a priori*, sem maior conhecimento, ponderação ou razão") já evidencia os prejuízos da padronização. A crítica formulada por Adorno e Horkheimer é, mais uma vez, absolutamente pertinente: "a unidade do coletivo manipulado consiste na negação de qualquer indivíduo; zomba-se de toda espécie de sociedade que pudesse querer

[7] "Todos esses arranjos - observa Jurandir Freire Costa - exigem uma seleção de predicados relevantes para certos interesses, que são tão antinaturais quanto qualquer construto teórico que venhamos a imaginar" (*A Inocência e o Vício: estudos sobre o homoerotismo*, Rio de Janeiro: Relume-Dumará, 1992, p.25).

[8] Jurandir Freire Costa (*A Inocência e o Vício*, op. cit., p. 43) localiza o nascimento do termo "homossexual" em um texto do médico húngaro Benkert, datado de 1869. Michel Foucault refere-se a um artigo de Westphal, de 1870, sobre as "sensações sexuais contrárias", como a "data natalícia" do termo (*História da Sexualidade I: A vontade de saber*, Rio de Janeiro, Graal, 1988, p. 43).

[9] *História da Sexualidade* I, op. cit., p. 44.

[10] *Idem*, p. 19.

[11] *Raça e Assimilação*, Rio de Janeiro: José Olímpio, 1932, p. 206.

[12] O dicionário *Houaiss* da Língua Portuguesa define o estereótipo como a "idéia ou convicção classificatória preconcebida sobre alguém ou algo, resultante de expectativas, hábitos de julgamento ou falsas generalizações".

[13] Citado por Maria Lúcia de Arruda Aranha e Maria Helena Pires Martins, *Filosofando: Introdução à Filosofia*, São Paulo, Moderna, 1986, p. 76.

[14] A expressão é de Michel Foucault, in *História da Sexualidade I*, op. cit., p. 30.

fazer do indivíduo um indivíduo. A horda, cujo nome figura sem dúvida alguma na organização da Juventude Hitlerista, não é nenhuma recaída na antiga barbárie, mas o triunfo da igualdade repressiva, o desenvolvimento da igualdade do direito na injustiça feita pelos iguais" [15].

Os meios de comunicação, em geral, são os grandes responsáveis pela difusão do preconceito e pela padronização. A lógica autoritária do consumo que orienta a TV, o rádio e o cinema feito para as massas, homogeneiza os gostos, difunde o preconceito para com o outro [16] e nos torna incapazes "de ouvir o que nunca foi ouvido e de apalpar com as próprias mãos o que nunca foi tocado" [17] . "Com que inocência demito-me de ser eu que antes era e me sabia tão diverso de outros, tão mim-mesmo, ser pensante, sentinte e solidário com outros seres diversos e conscientes de sua humana, invencível condição", escreveu Drummond, com ironia, no poema "Eu, etiqueta".

Há mais de duzentos anos Kant convocou todos a fazerem uso do próprio entendimento sem a orientação de outrem [18]. Por comodismo ou covardia [19] – disse o filósofo alemão - a maioria das pessoas permanecem com gosto sob a direção alheia e abandonam a cansativa tarefa de pensar e de trilhar os seus próprios caminhos. É possível, porém, sair desse estado de menoridade, se rejeitarmos os arranjos previamente estabelecidos (os velhos "instrumentos mecânicos de um uso racional", de que falava Kant) e buscarmos, cada qual, construir a própria subjetividade, para além dos rótulos.

A propósito, parece-me um erro dos movimentos de minorias reivindicar a existência de uma identidade própria – negra ou feminina ou outra qualquer. Sustentar que todos os negros ou todas mulheres possuem uma mesma "essência" é, creio, adotar como seu o discurso classificatório do opressor. Todos os sujeitos que pertencem a um grupo discriminado têm algo em comum, que é justamente o contato, em maior ou menor grau, com o preconceito social. Daí, porém, a afirmar que eles compartilham de uma identidade única há um grande passo. O erro está justamente em resumir a complexidade do sujeito à cor da sua pele, ao seu sexo ou à sua inclinação erótica. "A maneira que temos de sair da engrenagem é desfazê-la, e não reformá-la preservando os termos de sua definição e deixando-a intocada na base" [20], observa Jurandir Freire Costa. O combate ao preconceito pede a denúncia da crença de que os sujeitos são "naturalmente" divididos em homens e mulheres, brancos e negros, sãos e loucos, heterossexuais e homossexuais, e não o reforço a essa crença.

Tentei mostrar neste pequeno artigo que a ordenação dos sujeitos a partir de categorias binárias "naturalmente" estabelecidas – branco *ou* negro, nacional *ou* estrangeiro, são *ou* louco – vem servindo apenas para justificar a dominação e a exclusão daqueles que não atendem os padrões definidos como valiosos ou normais pela maioria. Além disso, esse tipo de arranjo é empobrecedor pois, reduz a riqueza das experiências individuais a classes preestabelecidas, abstratas e homogêneas de pessoas.

Por todo o exposto, acho que a luta pelo efetivo reconhecimento do direito à autonomia e à diferença não pode estar circunscrita ao campo jurídico. Já há muito tempo é sabido que a mera declaração formal do direito não é suficiente para garantir a sua eficácia. Cuida-se, antes de mais nada, de criticar os falsos pressupostos sobre os quais estão apoiados os arranjos sociais, que fomentam o preconceito e a massificação, e de combater as suas múltiplas manifestações no cotidiano.

[15] Theodor Adorno e Max Horkheimer, *Dialética da Razão*, op. cit., p. 10.

[16] Será mero acaso os filmes americanos de ficção científica apresentarem os extraterrestres como seres ameaçadores, que põem em risco nosso *way of life*?

[17] *Idem*, p. 26.

[18] Emanuel Kant, "Respuesta a la pregunta: qué es la Ilustración?" in *Filosofia de la História*, Buenos Aires: Nova Buenos Aires, 1964, pp. 58-67.

[19] Escreve Contardo Calligaris: "Somos sempre convidados a inventar livremente nossas vidas: é uma missão incômoda e dolorosa. Portanto estamos dispostos a acolher calorosamente qualquer um com quem possamos nos identificar. Quem sabe consigamos, assim, definir um pouco quem somos nós. Em suma, por sermos órfãos de identidades estabelecidas, acabamos sedentes de identificações" ("As identificações e a possibilidade de pensar" in *Jornal Folha de S. Paulo*, edição de 10 de abril de 2003).

[20] *A Inocência e o Vício*, op. cit., p. 35.

Mídia, eleições e direitos humanos

Ciro Coutinho

A influência da mídia (jornais, revistas, televisão, rádio e internet) na política é enorme nos dias atuais. Se, por um lado, os jornalistas têm necessidade de conseguir notícias interessantes para o público em geral, por outro, os políticos precisam aparecer nos meios de comunicação para se tornar conhecidos e construir sua imagem.

Em épocas eleitorais, estas necessidades ficam ainda mais visíveis. Os políticos que são candidatos querem aparecer na mídia de modo positivo, pois isto ajuda a conseguir votos. Já os jornalistas precisam informar seus leitores/telespectadores/ouvintes sobre o andamento das eleições.

Entretanto, nem todos os políticos conseguem espaço e nem todos aparecem de modo positivo. Os meios de comunicação costumam selecionar, entre todos os acontecimentos da campanha eleitoral, os que consideram mais importantes. O fato é que nem sempre esta escolha agrada aos políticos, o que pode ocasionar conflitos entre as duas partes neste período tão especial para a democracia.

Num país como o Brasil, porém, que têm desigualdades sociais muito grandes, este também é um período onde ocorrem diversas violações dos direitos humanos. Infelizmente, nem sempre a falta de respeito a estes direitos é noticiada pela mídia brasileira.

Entende-se aqui como direitos humanos os que foram adotados pela Organização das Nações Unidas (ONU), em 10 de dezembro de 1948. Entre estes se incluem: direito à igualdade, independentemente de raça, cor, sexo, língua, religião, opinião política ou de outra natureza, origem nacional ou social, riqueza, nascimento, ou qualquer outra condição; proteção contra tortura; direito à família, à propriedade, a tomar parte no governo de seu país, ao trabalho e proteção contra o desemprego; e a um padrão de vida capaz de assegurar a si e a sua família saúde e bem estar, inclusive alimentação, vestuário, habitação, cuidados médicos e os serviços sociais indispensáveis; e direito à instrução (educação), entre outros.

No Brasil, grande parte da população não tem acesso a estes direitos. A situação de pobreza em que vivem milhões de brasileiros, em especial na periferia das grandes cidades, que não têm emprego, água, nem acesso à saúde e educação, abre um grande espaço para que, em períodos eleitorais, os políticos façam muitas promessas e tentem, em alguns casos, trocar votos pela satisfação temporária de algum destes direitos.

Neste ponto, a atuação da mídia nem sempre é satisfatória. As promessas e propostas dos candidatos não são debatidas com clareza e os abusos cometidos pelos candidatos e seus assessores raramente são noticiados.

Entre estes abusos se inclui a compra de votos: se alguém oferece dinheiro para que outra pessoa vote em algum candidato, isso é um crime eleitoral segundo as leis atuais. Tal prática deve ser denunciada e pode até mesmo ser noticiada pela mídia.

Há ainda outras ações de campanha que, embora não envolvam dinheiro, também são meios de "comprar" votos. Favores em instituições públicas, oferecimento de benefícios materiais e promoção de eventos diversos podem ser, em alguns casos, considerados abusos.

A mídia, porém, nem sempre oferece destaque a possíveis irregularidades ocorridas nas campanhas dos candidatos. A maioria das notícias aborda as pesquisas de opinião, as viagens que os principais candidatos fazem e as entrevistas e debates que a própria mídia promove em rádio, televisão, jornal e, na campanha atual, na internet.

Estas informações são importantes, mas nem sempre retratam a realidade das campanhas. Portanto, o direito à informação sobre os candidatos e suas idéias, às vezes, acaba sendo desrespeitado.

A conclusão geral a que se pode chegar é que a mídia tem um papel muito importante nas eleições. O rádio, os jornais e, principalmente, a televisão, podem mostrar as idéias dos candidatos, estimular os debates e denunciar abusos. O modo como isso é feito influencia não apenas as campanhas dos candidatos mas, principalmente, a decisão de voto dos eleitores.

Instrumentos jurídicos de proteção dos direitos humanos

Fernando Mussa Abujamra Aith

1. Introdução

As sociedades políticas apresentam-se, hoje, majoritariamente organizadas sob a forma de Estados. O ser humano reconheceu, há muito tempo, a necessidade de um mínimo de organização política para que a vida em comum possa ser possível. Conforme nos ensina Jorge Miranda, "quanto mais uma sociedade global é heterogênea, quanto mais integra grupos ou estratos diferentes pela cultura, pela posição social e pelo papel na divisão de trabalho tanto mais o seu sistema político tende a organizar-se em funções diferenciadas, especializadas, ligadas umas às outras por uma rede complicada de relações hierárquicas" [1].

O Estado moderno é definido através de três elementos ou condições de existência – povo, território e poder político soberano – e apresenta um grau de complexidade bastante elevado, exigindo de todos os que são a ele submetidos uma capacidade de análise e de controle social cada vez maior.

O Brasil organiza-se em um Estado constitucional, "assente numa Constituição reguladora tanto de toda a sua organização como da relação com os cidadãos, e tendente à limitação do poder"[2]. Este modelo estatal pressupõe um governo representantivo, que dissocia a titularidade do poder (que pertence ao povo) e o exercício do poder (que é realizado por governantes eleitos e representativos da sociedade). Essa dissociação torna-se possível através do Estado de Direito, em que, para a garantia dos direitos dos cidadãos, se estabelece uma divisão jurídica do poder, fundamentada no respeito à legalidade (formal e material). A legalidade torna-se, no Estado de Direito, o critério de ação dos governantes.

O Estado nada mais é, portanto, do que a organização dada pela sociedade política nacional para que os direitos sejam promovidos e protegidos. A finalidade do Estado é a garantia dos direitos de cada um dos seres humanos que o integram, e toda e qualquer ação desenvolvida pelo Estado deverá ser feita no sentido da proteção destes direitos. E que direitos são esses? Basicamente, todos aqueles direitos que forem reconhecidos num dado ordenamento jurídico legal, já que o Estado de direito entende a legalidade como pressuposto de ação. Quanto mais evoluído for o ordenamento jurídico de um dado Estado, maior será a proteção dada aos direitos humanos.

Os governos representativos devem, assim, executar políticas que busquem a pro-

[1] Jorge Miranda, *Manual de Direito Constitucional*, Tomo I, Coimbra Editora, 6a Edição, p. 46.

[2] Jorge Miranda, *op. cit.*, p. 86.

moção e proteção dos direitos humanos, sendo que qualquer política que não tenha essa finalidade torna-se, imediatamente, uma política inconstitucional (ou ilegal), por ser contrária aos interesses dos seres humanos que compõem o Estado. Esses seres humanos, que habitam o Estado e formam o seu povo, são os titulares do Poder, e se fazem representar, transitoriamente, por um determinado governo.

A promoção e proteção dos direitos humanos e demais direitos reconhecidos em um ordenamento jurídico são dever do Estado, a ser realizado através dos seus Poderes Executivo, Legislativo e Judiciário.

2. O Estado de Direito como fundamento de organização da sociedade política

Um dos fundamentos da organização da sociedade política do mundo moderno é o Estado de Direito. Os direitos humanos exigem, para sua proteção, um ambiente social dotado de regras de convivência que garantam a todos, sem exceção, o respeito à dignidade. Essas regras devem atingir não só a figura dos governados como também, e principalmente, a figura dos governantes.

Como foi afirmado pela Corte Interamericana dos Direitos Humanos, "na proteção dos direitos humanos está necessariamente compreendida a restrição ao exercício do poder estatal" (C.I.D.H, A Expressão Leis no artigo 30 da Convenção Americana dos Direitos Humanos, Opinião Consultiva OC-6/86 de 9 de maio de 1986. Série A n. 6, parágrafo 22). Significa dizer que o poder não pode ser exercido contra as pessoas, mas sim a favor de seus direitos. Por essa razão, o exercício do poder deve sujeitar-se a regras, que devem compreender um conjunto de mecanismos voltado para a proteção e garantia dos direitos humanos. A esse conjunto de regras que define o âmbito do poder e o subordina aos direitos e atributos inerentes à dignidade humana damos o nome de Estado de Direito[3].

O Estado de Direito representa o modelo modernamente adotado para a garantia dos "princípios axiológicos supremos" dos direitos humanos, quais sejam, a liberdade, a igualdade e a fraternidade (solidariedade)[4].

A partir do momento em que o direito natural foi laicizado, com o conseqüente apelo para a razão como fundamento, iniciou-se uma difusão em larga escala, nos séculos XVII e XVIII, da tese do contrato social como explicação e origem do Estado, da Sociedade e do Direito. "Afirma-se, desta maneira, que o Estado e o Direito não são prolongamento de uma sociedade natural originária e orgânica, como a família, mas sim uma construção convencional de indivíduos, ao saírem do estado de natureza. Por outro lado, o contratualismo oferece uma justificação do Estado e do Direito porque não encontra o seu fundamento no poder irresistível do soberano ou no poder ainda mais incontrastável de Deus, mas sim na base da sociedade, através da vontade dos indivíduos."[5]

O Estado de Direito serve, assim, como instrumento de realização dos direitos humanos, voltado à proteção e promoção da liberdade, da igualdade e da fraternidade.[6]

A liberdade expressa-se, no Estado de Direito, através da vontade dos indivíduos, e tem como núcleo central a idéia da autonomia, demonstrando-se através da submissão de todos os membros de uma determinada sociedade às regras que ela própria estabelece e ao poder do governante que ela própria elege. As liberdades públicas, no sentido político de autogoverno, e as liberdades privadas, mecanismos de defesa existentes contra intervenções arbitrárias do governo, compõem o primeiro elemento da tríade de princípios axiológicos supremos que têm, no Estado de Direito, a sua proteção mais sólida. E esta proteção é dada através do conjunto de direitos individuais voltados à garantia da liberdade.

O Estado de Direito consolida ainda, em sua dimensão, a igualdade formal, no sentido de que todos são iguais perante a Lei, não podendo haver leis ou regras aplicáveis apenas a alguns, da mesma forma que estas leis não podem privilegiar indivíduos ou grupos em detrimento de outros. A igualdade formal, um grande avanço para a proteção dos direitos humanos, necessita, para se tornar realmente efetiva, do terceiro princípio axiológico supremo, ou seja, a solidariedade. De nada adianta todos terem garantida a igualdade formal se as diferenças materiais existentes entre indivíduos da mesma sociedade anular esta proteção. De fato, dizer que formalmente todos têm direito à propriedade não basta para que tenhamos uma sociedade que respeite os direitos humanos, se a propriedade só estiver ao alcance de alguns. Seria tão inútil quanto se afirmar que todos podem ir à Lua, sabendo-se que os meios tecnológicos que nos permitem ir à lua são inacessíveis a quase a totalidade dos seres humanos.

Neste sentido, o terceiro elemento que compõe a tríade de princípios axiológicos supremos, dando a dimensão dos elementos essenciais do denominado Estado de Direito, é a fraternidade. A fraternidade, ou solidariedade, expressa-se como o conjunto de regras voltadas a um escopo comum de progresso e melhoria da qualidade de vida de todos aqueles que compõem o grupo social, determinando que um dos grandes objetivos do ser humano é possuir uma sociedade que ofereça a todos os seus integrantes a igualdade material. Para tanto, os direitos sociais foram positivados como direitos humanos, destinados a garantir condições mínimas de existência a todos os seres humanos, em especial os mais fracos e os mais pobres.

Essas considerações são fundamentais para a compreensão de que, no Estado de Direito brasileiro, existem diversos instrumentos jurídicos constitucionais e legais que servem para proteger os direitos humanos contra violações e ameaças que eventualmente venha a sofrer. Analisaremos, assim, os principais remédios constitucionais existentes para a proteção dos direitos humanos, bem como alguns instrumentos jurídicos legais existentes e que podem ser de muita valia para a garantia dos direitos fundamentais do ser humano no Brasil.

[3] Pedro Niken, *"El Concepto de Derechos Humanos"*, Instituto Interamericano de Derechos Humanos, Serie Estudos de Derechos Humanos, Tomo I, pág. 22

[4] Fabio Konder Comparato, *"A Afirmação Histórica dos Direitos Humanos"*, 1999, Editora Saraiva, p. 50

[5] Celso Lafer, *A Reconstrução dos Direitos Humanos - Um Diálogo com o Pensamento de Hannah Arendt"*, Companhia das Letras, 2a edição, 1998, São Paulo, p. 121

[6] O Preâmbulo da Constituição nos oferece exata dimensão deste aspecto do Estado de Direito: "Nós, representantes do povo brasileiro, reunidos em Assembléia Nacional Constituinte para instituir um Estado Democrático, destinado a assegurar o exercício dos direitos sociais e individuais, a liberdade, a segurança, o bem estar, o desenvolvimento, a igualdade e a justiça como valores supremos de uma sociedade fraterna, pluralista e sem preconceitos...promulgamos, sob a proteção de Deus, a seguinte Constituição da República Federativa do Brasil".

3. Remédios constitucionais

Os remédios constitucionais encontram-se elencados no artigo 5º da Constituição Federal, destacando-se o *habeas corpus*, o *habeas data*, o mandado de segurança e a ação popular.

3.1. *Habeas corpus* (art. 5º, LXVIII, da CF)

Conforme determina o artigo 5º, inciso LXVIII da Constituição Federal, "conceder-se-á o *habeas corpus* sempre que alguém sofrer ou se achar ameaçado de sofrer violência ou coação em sua liberdade de locomoção, por ilegalidade ou abuso de poder". Sendo assim, o *habeas corpus* é o instrumento jurídico que visa garantir o direito de liberdade de locomoção, quando este encontra-se ameaçado ou violado por ilegalidade ou abuso de poder.

O direito de locomoção deve ser entendido de forma ampla, abrangendo a liberdade de ir e vir, bem como outros direitos do cidadão, tal como o de ser processado perante a autoridade competente, o devido processo legal, a garantia de que ninguém deve ser obrigado a fazer ou deixar de fazer qualquer coisa senão em virtude da lei, ou seja, qualquer ação de autoridade que limite a liberdade de locomoção, sem justa causa e sem observância do princípio da legalidade, pode ser atacada pelo *habeas corpus*.

O *habeas corpus* é uma ação constitucional de caráter penal e de rito sumaríssirno (não admite dilação probatória). Pode ser impetrado por qualquer pessoa (nacional ou estrangeiro), independentemente de capacidade civil ou postulatória (não precisa ser advogado, qualquer cidadão pode impetrar *habeas corpus*). A própria pessoa que está sofrendo a ilegalidade (paciente) pode impetrar o remédio heróico.

O Sujeito passivo do *habeas corpus* é a pessoa no exercício do poder público (autoridade) ou o particular (ex.: diretor de hospital) que praticou o ato ilegal.

O *habeas corpus* deve ser interposto perante a autoridade competente (juiz ou tribunal). A competência é definida em função da autoridade coatora e sua sede (CF, ex.: art. 102,I, d e i; art. 105,I, c; 108,I, d; 121, par. 4º, V).

O *habeas corpus* pode ser preventivo (salvo-conduto), quando a defesa é feita contra uma ameaça, ou liberatório, quando a defesa é feita contra uma coação já praticada. Esse instrumento admite a concessão de liminar (artigo 660, par. 2º do CPP), sempre que a ilegalidade for patente.

A legislação infraconstitucional pertinente sobre o *habeas corpus* encontra-se nos artigos 647 a 667 do Código de Processo Penal.

3.2. *Habeas data* (art. 5º, LXXII, da CF)

O *habeas data* é o instrumento destinado a assegurar judicialmente a exibição e eventual retificação das informações constantes em registros públicos ou privados (desde que acessíveis ao público) acerca de determinada pessoa (impetrante). É uma ação constitucional de caráter civil, que visa facilitar o acesso dos cidadãos aos dados pessoais arquivados em órgãos públicos ou privados.

Pode impetrar o *habeas data* a pessoa (fisica ou jurídica, brasileira ou estrangeira) a quem se referirem as informações. Trata-se de uma ação de caráter personalíssimo, tendo em vista a sua natureza de obter informações pessoais.

O *habeas data* pode ter como sujeitos passivos (impetrado) as entidades públicas ou privadas, sendo que essas últimas só serão obrigadas a fornecer a informação desde que essa seja acessível ao público.

A competência para julgar o *habeas data* é definida em função da autoridade coatora e sua sede (CF - art. 102, I, d; 105, I, b; art. 108, I, c; 121, par. 4º, V).

O *habeas data* pode servir para se ter acesso à informação arquivada no órgão público ou privado, ou ainda para que se exija que as informações ali arquivadas sejam retificadas, caso não estejam corretas. O procedimento do *habeas data* está regulado na Lei Federal Lei 9.507/97.

3.3. Mandado de segurança (art. 5º, LXIX, da CF)

O mandado de segurança é o remédio constitucional colocado à disposição de qualquer pessoa para a proteção de direito líquido e certo, individual ou coletivo, não amparado por *habeas corpus* ou *habeas data*, lesado ou ameaçado de lesão por abuso de poder ou ilegalidade praticada por ato (comissivo ou omissivo) de autoridade.

O direito líquido e certo é aquele comprovável de plano, através de documentação já existente ou que refere a fatos notórios. O mandado de segurança não admite instrução probatória. Trata-se de uma ação constitucional de caráter civil, ainda que utilizada em matéria criminal algumas vezes.

O sujeito ativo (impetrante) é o titular do direito lesado ou ameaçado de lesão - pessoas físicas, jurídicas, nacionais, estrangeiras, domiciliadas ou não em território nacional, universalidades reconhecidas por lei (espólio, massa falida, etc.) e órgãos públicos despersonalizados, mas dotados de capacidade processual (Mesa da Câmara do Deputados, do Senado Federal, etc.).

O sujeito passivo (impetrado) do mandado de segurança é a autoridade coatora que pratica ou ordena a execução ou inexecução do ato impugnado, respondendo pelas suas conseqüências e detendo competência para corrigir a ilegalidade. Pessoas jurídicas de direito privado podem ser sujeitos passivos da ação, desde que exerçam funções delegadas pelo Poder Público (concessionárias de serviço público).

O mandado de segurança pode ser preventivo, quando visa evitar que o ato ilegal e lesivo aconteça, ou repressivo, quando visa reverter ato ilegal já realizado. Pode ser ainda individual ou coletivo. O mandado de segurança coletivo (artigo 5º, inciso LXX, da CF) tem por objetivo a defesa dos mesmos direitos passíveis de serem protegidos pelo Mandado de Segurança Individual, porém direcionados à defesa de interesses coletivos, dotados de liquidez e certeza e violados ou ameaçados de lesão por ato de autoridade. Podem ingressar com mandado de segurança coletivo os partidos políticos com representação no Congresso Nacional (legitimação ampla) e as organizações sindicais, entidades de classe ou associações (desde que preencham determinados requisitos e atuem na defesa dos interesses de seus membros/associados - legitimação restrita).

É possível a concessão de liminar nos mandados de segurança, quando houver elementos suficientes que demonstrem a existência do direito a ser protegido (*fumus boni iuris*) e quando a demora para a tomada de decisão comprometer o próprio direito a ser protegido (*periculum in mora*).

3.4. Ação Popular (art. 5º, LXXIII, da CF)

A ação popular é o meio constitucional posto à disposição de qualquer cidadão para anular atos lesivos ao patrimônio público ou de entidade de que o Estado participe, à moralidade administrativa, ao meio ambiente e ao patrimônio histórico e cultural (artigo 5o, LXXIII, da CF). Sendo assim, qualquer ato que atente contra a moralidade administrativa, o patrimônio público, o meio ambiente e o patrimônio histórico e cultural pode ser atacado pela ação popular.

A ação popular é um instrumento de proteção dos direitos humanos e representa uma forma de exercício da soberania popular. Trata-se de uma prerrogativa da cidadania, posta à disposição de qualquer cidadão. O procedimento da ação popular está definido na Lei Federal 4717/65.

Pode ser preventiva, quando visa evitar que um ato lesivo seja realizado, ou repressiva, quando visa reparar os danos causados por um ato lesivo ao patrimônio público, à moralidade administrativa, ao meio ambiente e ao patrimônio histórico e cultural (artigo 5º, LXXIII, da CF). Trata-se de uma ação constitucional civil, que pode ter como sujeito ativo qualquer cidadão eleitor.

Podem ser sujeitos passivos da ação popular, além da pessoa jurídica de direito público que executar o ato, as autoridades, administradores ou funcionários que tenham autorizado ou praticado o ato ou tenham sobre ele se omitido. Também podem ser sujeitos passivos os beneficiários diretos de tal ato (litisconsórcio necessário).

4. Outros instrumentos jurídicos

Além dos remédios constitucionais, o ordenamento jurídico brasileiro possui outras formas de proteção dos direitos humanos. Convém destacar a possibilidade de defesa administrativa contra qualquer ato proferido por autoridade pública, e a possibilidade de SEMPRE se buscar o judiciário para a proteção dos direitos humanos.

4.1. Defesas administrativas

O artigo 5º da Constituição dispõe no inciso XXXIV que "são a todos assegurados, independente do pagamento de taxas: a) o direito de petição aos poderes públicos em defesa de direitos ou contra ilegalidades ou abuso de poder; b) a obtenção de certidões em repartição pública, para defesa de direitos e esclarecimentos de situações de interesse pessoal".

Como se pode ver, qualquer violação ou ameaça de violação a um direito humano, quando perpetrada por um agente público, poderá ser objeto de contestação administrativa, através de petição a ser dirigida ao próprio agente público (prefeito, governador, delegado, policial, enfim, TODO agente público está sujeito a ter o seu ato questionado administrativamente).

Às vezes, a petição ao próprio agente público pode se mostrar inconveniente, por motivos diversos (coação, medo, inutilidade). Quando isso ocorre, a petição administrativa poderá ser direcionada para o superior hierárquico do agente público que cometeu a ilegalidade, ou para os órgãos existentes de apuração de desvios na atuação dos agentes públicos, como as Corregedorias de Polícia, os órgãos legislativos (Comissões de Direitos Humanos, por exemplo), as ouvidorias e os parlamentares em geral (vereadores, deputados, senadores).

4.2. Ações judiciais

Finalmente, o artigo 5º, XXXV da CF dispõe que "a lei não excluirá de apreciação do Poder judiciário lesão ou ameaça a direito". Ou seja, toda e qualquer ameaça ou lesão aos direitos humanos poderá ser submetida para a proteção do poder judiciário, sendo este poder obrigado a analisar o pedido e dar andamento a ele. O mesmo artigo constitucional, em seu inciso LXXIV, dispõe que "o Estado prestará assistência jurídica integral e gratuita aos que comprovarem insuficiência de recursos".

Para ingressar com as ações judiciais cabíveis, geralmente é necessário advogado, que tem a capacidade postulatória (capacidade de apresentar uma petição a um juiz de direito ou a um tribunal). A Constituição Federal estabeleceu, para a defesa do direito de que trata o artigo 5º, inciso XXXV, a necessidade de União e Estados organizarem Defensorias Públicas. Com efeito, determina a CF em seu artigo 134: "A Defensoria Pública é instituição essencial à função jurisdicional do Estado, incumbindo-lhe a orientação jurídica e a defesa, em todos os graus, dos necessitados, na forma do artigo 5o, LXXIV".

Dessa forma, sempre que um direito humano for violado ou ameaçado, poderá ser protegido por ação judicial, sendo vedado ao poder judiciário a recusa da apreciação do pedido formulado. A ação judicial, via de regra, será elaborada por advogado, que poderá ser particular ou público. Como visto, o Estado tem o dever de oferecer, através de Defensoria Pública, advogados gratuitos aos necessitados.

Muitos Estados brasileiros já possuem suas Defensorias Públicas implantadas (Rio de Janeiro, por exemplo), outros possuem a assistência judiciária gratuita funcionando junto com a Procuradoria do Estado (caso de São Paulo, que possui a Procuradoria de Assistência Judiciária). Além desses órgãos oficiais que oferecem assistência judiciária gratuita, existem entidades e universidades que possuem serviços de assistência jurídica gratuita. É importante que as entidades de proteção de direitos humanos tenham conhecimento, em suas respectivas regiões de atuação, de quais são os órgãos e instituições, públicas e privadas que oferecem assistência jurídica gratuita.

5. Considerações Finais

Apresentados os principais instrumentos de proteção dos direitos humanos no ordenamento jurídico brasileiro, convém ressaltar, por fim, a importância que as organizações não governamentais e outras entidades que atuam na área possuem para a plena realização dos direitos humanos.

A plena realização dos direitos humanos somente se transformará em realidade a partir do momento em que as noções de cidadania e defesa dos direitos básicos atinjam a todos os cidadãos brasileiros, notadamente os mais pobres e necessitados. A atuação das organizações não governamentais é de fundamental importância para aproximar esses cidadãos dos órgãos públicos institucionais, evitando a perpetuação das violações dos direitos dessas pessoas, que não se defendem, muitas vezes por desconhecerem os seus direitos e por desconhecerem que existem caminhos para solucionar definitivamente diversos problemas que afetam a dignidade humana dessas pessoas.

O uso dos instrumentos acima relacionados deve ser incentivado em todos os setores da sociedade, para que cheguem aos órgãos públicos as vozes e as demandas dos excluídos.

Oficina de Arte e Direitos Humanos

Letícia Massula

1. Objetivo

Sensibilizar os participantes para a temática dos direitos humanos através do trabalho com letras de música que abordem a questão, e ainda com a elaboração de painéis artísticos sobre o tema. Promover a discussão sobre direitos humanos de forma ampla, destacando as características da indivisibilidade, interdependência e universalidades partindo de uma análise dos três grandes eixos: desigualdade socioeconômica, de gênero e raça/etnia/cor.

2. Material necessário

- letras de músicas que abordem a temática dos direitos humanos levando-se em consideração as desigualdades socioeconômica, de gênero e raça/etnia/cor - pelo menos seis letras diferentes (com temas diferentes também) com cópias suficientes para os participantes da oficina;
- aparelho de CD;
- CDs com as músicas a serem trabalhadas;
- papel pardo em rolo;
- cola colorida e branca;
- lápis de cor;
- giz de cera;
- canetinhas coloridas;
- tinta guache de várias cores;
- tesoura;
- jornais e revistas velhos;
- fita crepe.

3. Metodologia utilizada

3.1. Etapas:

- Apresentação dos participantes:

Foi utilizada uma música agitada e solicitado aos participantes que começassem a andar e dançar pela sala ocupando todo o espaço. Em dado momento a música foi retirada e solicitado aos participantes que segurassem a pessoa mais próxima a si formando duplas. Então, foi dado um prazo de cinco minutos para que cada dupla pudesse conversar e se conhecer. Ao final deste prazo, as duplas passaram a se apresentar, sendo que cada integrante da dupla apresentava seu parceiro para o restante da turma.

Este exercício promove grande integração do grupo e promove a escuta e a atenção no outro.

• Divisão em grupos:

Dividiu-se a turma em seis (ou mais) grupos com igual número de integrantes.

• Distribuição de materiais:

Cada grupo recebeu a cópia da letra de uma música diferente e depois disso todas as músicas foram tocadas para que todos os participantes pudessem conhecer todas as letras a serem trabalhadas.

Os grupos receberam ainda folhas grandes de papel pardo para elaboração dos painéis, lápis de cor, canetinhas coloridas, cola colorida, tinta guache, revistas e jornais antigos, tesoura etc.

• Solicitação de tarefas:

No prazo de uma hora cada grupo elaborou um grande painel artístico a partir da música destinada ao grupo, respondendo no painel que direito foi violado levando-se em conta os três grandes eixos: desigualdade socioeconômica, de gênero e raça/etnia/cor e outras desigualdades daí decorrentes.

• Apresentação dos painéis:

Terminado o prazo de elaboração dos painéis cada grupo apresentou o seu painel, o facilitador da oficina conduziu a apresentação, fazendo questionamentos não apenas ao grupo, mas a todos os participantes da oficina, incentivando a discussão sobre a temática. Discutiu-se ainda conceitos básicos acerca dos direitos humanos e apresentou-se mecanismos que garantam o pleno exercício dos mesmos pela população.

• Encerramento:

Terminadas as apresentações, o facilitador faz um fechamento das discussões levantadas ao longo da dinâmica.

4. Tempo de duração

- Apresentação e distribuição do material/tarefa – cerca de uma hora;
- Trabalho em grupo – uma hora;
- Apresentações, discussão e fechamento – duas horas

Total: 4 horas

5. Sugestões de músicas a serem trabalhadas

1- Mil perdões – Chico Buarque de Hollanda
2- Vá morar com o diabo – Riachão (interpretada por Cássia Eller)
3- Construção / Deus lhe pague - Chico Buarque de Hollanda
4- Haiti – Caetano Veloso / Gilberto Gil
5- A novidade – Gilberto Gil (interpretada pelos Paralamas do Sucesso)
6- Mulheres de Atenas - Chico Buarque de Hollanda
7- Brejo da cruz - Chico Buarque de Hollanda
8- Respeitem meu cabelos, brancos – Chico César
9- Mama África – Chico César
10- Da esquina – Xis
11- Comida – Titãs
12- Pivete - Chico Buarque de Hollanda
13- Meu guri - Chico Buarque de Hollanda
14- A cara do Brasil – Vicente Barreto / Celso Viáfora (interpretada por Ney Matogrosso)
15- A carne – Marcelo Yuka/ Seu Jorge/ Wilson Cappellette (interpretada por Elza Soares)
16- Quando a maré encher – Nação Zumbi
17- A galinha – Chico Buarque de Hollanda
18- A gata – Chico Buarque de Hollanda
19- Funeral de um lavrador – Chico Buarque de Hollanda
20- Chegança – Antônio Nóbrega
21- Olodumaré – Antônio Nóbrega

Jornal Mural

Maria do Rosário da Silva Mendez

Esta publicação deve ter notícias curtas, ter bem definido os quadros, identificados por símbolos e com o contato para mais informações.

Características:

- Criar identidade visual
- Definir periodicidade – se possível semanal
- Textos curtos e letras corpo 30
- Informes das ações, deliberações, agendas, eventos da comunidade.

Formato:

Em toda forma de comunicação as palavras devem ajudar a atingir e reforçar o objetivo.

1- O primeiro princípio básico da mensagem é ter um objetivo único e bem definido.

2- O segundo princípio básico é conhecer bem seu leitor/ ouvinte e saber o que ele quer, quais suas necessidades e o que ele deseja de um veículo.

3- O terceiro princípio básico é a abordagem bem formulada.

O objetivo e a abordagem são interdependentes, o conhecimento das necessidades e interesses do seu leitor/ouvinte influenciará a abordagem. O foco deve ser traçado a partir desta observação.

Exemplo: Empregado a patrão

Objetivo: aumento salarial

Abordagem: mostrei à empresa o valor de meu trabalho, empenho e compromisso.

Em seguida faça o seu pedido ou sua provocação. Ligue, responda, escreva, reclame, acompanhe.

Aliados ao conteúdo o jornal mural deve usar com intensidade os recursos gráficos e visuais. Os recursos como fotos, gráficos, charges e desenhos são fortes aliados na composição do jornal mural.

A utilização destes meios deve ser aplicada de maneira harmoniosa, como se estivesse pintando um quadro, que deve alojar na memória e no coração de seu receptor. Sempre que possível descreva um cenário em que as pessoas possam visualizar as palavras, assim a mensagem é lembrada e emoção provoca mudanças.

Diversas teorias da comunicação afirmam que desde os anos 50, estamos na era da imagem e do som.

Assim o esquema básico da mensagem básica e eficiente e subliminar é:

Maior quantidade de informação = menor tempo de exposição.

Distribuição :

Por suas peculiaridades, deve estar exposto em lugar de circulação e/ou concentração da população local, por exemplo: ponto de ônibus, salas da paróquia, padaria, sindicato.

Procure afixar numa altura mínima de um metro e meio.

Rádio Comunitária um veículo cidadão

Maria do Rosário da Silva Mendez

Direito à Comunicação: um Direito Humano assegurado pela Constituição.

O artigo 5º, inciso IX, diz:

"A livre expressão da atividade intelectual, artística, científica e de comunicação, independente de licença."

Vejam a Lei nº 9.612/98, Decreto nº 2.615/98 - podem ser encontradas no site do Ministério das Comunicações: www.mc.gov.br ou www.planalto.gov.br

Instrumentos jurídicos de defesa da Comunidade

1- **Mandado de Segurança Preventivo**: Para garantir que a Polícia Federal e a Agência Nacional de Telecomunicações (Anatel) não levem os equipamentos da emissora.

2- ***Habeas Corpus*** **Preventivo:** Para evitar que os diretores sejam presos ou indiciados em inquérito policial.

3- **Atenção:** É ilegal a ação da Polícia Civil ou Militar:

- Apreender equipamento;
- Prisão de pessoas;
- Lacrar a rádio;

Dicas para defender a rádio de sua comunidade

1- Não abra a porta para Polícia e/ou Anatel – eles não têm o direito de entrar em sua casa, ou estúdio sem a sua permissão.

2- Exija apresentação do mandado judicial.

3- Exija a identificação dos agentes da PF e da Anatel. Caso eles recusem, estarão agindo contra a lei, é abuso de autoridade.

4- Informe-os da decisão do Supremo Tribunal Federal: a Anatel não pode fechar ou lacrar emissoras. Se possível tenha cópia da decisão na emissora.

5- Fotografe o estúdio sem os equipamentos.

6- Mantenha o microfone ligado e fale no ar que a rádio está sendo invadida, o que é uma ação arbitrária da polícia.

Relação Bibliográfica

Manual de Redação do Jornal - Folha de S. Paulo

Manual de Redação do Jornal - O Estado de São Paulo

Propaganda Subliminar Multimídia - Flávio Calazans – Summus Editorial

Relações Assessoria e Redações - Sind. Dos Jornalistas no Estado de São Paulo

Rádios Comunitárias – Na intenção de Mudar O Mundo - Dioclécio Luz

Profissão Jornalista: Responsabilidade Social - Cremilda Medina

7- Mobilize a comunidade em defesa do que é seu. Chame as pessoas para a rádio, organize protestos, acione advogados da rádio e comunique parlamentares que acompanham a defesa da democratização dos meios de comunicação.

Quais são as ameaças à democratização da comunicação:

Abert - Associação Brasileira de Emissoras de Rádio e Televisão. Entidade rica e poderosa que reúne as grandes emissoras de rádio e TV.

Anatel - Agência Nacional de Telecomunicações. Órgão repressor que age fora da lei. Em 1997, o Supremo definiu que é inconstitucional a apreensão dos equipamentos.

Estado - Ao longo da história do Brasil os dirigentes têm atuado contra a democratização da comunicação e entregaram as concessões a empresários da comunicação e a políticos.

Rádio Comunitária:

O que é :

Trata-se de um veículo de comunicação popular, sem fins lucrativos e de resistência que visa romper com o histórico modelo único de comunicação. O papel da rádio comunitária é o de difundir a cultura, educação e promover o desenvolvimento político e socioeconômico da comunidade. Sua principal diferença em relação às rádios convencionais é o compromisso social com a comunidade local.

O artigo 19 da Declaração dos Direitos Humanos afirma que todo homem tem direito de receber e transmitir informação.

Programação:

A programação deve refletir os interesses da comunidade e ter os seguintes critérios:

Comunidade:

É sempre o principal protagonista dos veículos de comunicação popular. Quando estiver discutindo a pauta verifique:

• qual a importância deste assunto para a comunidade?
• que contribuição pode trazer para a comunidade?

Atenção: Evite cair nos modismos, o superficial e segmentado.

Profundidade:

Isto se obtém através da pesquisa e estudo do tema a ser desenvolvido na programação. Ex: Programa sobre reggae.

Fale sobre este gênero musical, onde nasceu, como chegou ao Brasil, a história dos que fizeram e fazem reggae, sua importância para a música do Brasil e do mundo, tudo isso regado ao som de reggae, é claro.

Abrangência :

Deve ser feito de modo que atinja a todos (idade, escolaridade, religião) e não somente um segmento. Ex: Programa Rural – a importância da alimentação saudável, custos da produção, a reforma agrária. Questões também de interesse do público urbano.

Identidade:

É por seu compromisso que as rádios comunitárias são diferentes das convencionais. Lembre-se disto, a todo o momento , após o intervalo, durante a programação, ao anunciar a hora. Insista em afirmar esta "marca".

Grade da Programação:

É a distribuição dos programas conforme o planejamento diário, com a escala e horário em que vai ao ar. Veja o modelo.

Como Fazer um Bom Programa

Pesquisar: Após definir o assunto, busque fundamento nos livros, jornais, revistas, depoimentos, documentos, internet. A rádio comunitária é basicamente educativa, é seu compromisso passar novos conhecimentos para os ouvintes.

Roteiro: É o guia do programa.

• Programa: nome , a identidade, o tipo;
• Produção e apresentação: as pessoas que prepararam o programa;
• Veiculação: dia e horário – das: h às h.

Abertura: efeitos sonoros que apontam o início e o fim da apresentação;
Locução: apresentação do programa;
Operação: a administração das vinhetas, música, reportagem, gravações.

Quem faz o quê

Produtor: É aquele que prepara o programa. Pesquisa os textos, seleciona os Cds, marca as entrevistas.

Apresentador: É o que rege o programa e assume o microfone, deve estar afinado com o produtor.

Repórter: É quem faz entrevistas e reportagens.

Técnico de som ou Sonoplasta: É responsável pela seqüência do programa pela liberação das vinhetas, músicas e reportagens.

Tipos de Programa

Serviços: É a parte orgânica das rádios comunitárias, as notas devem ser incluídas em toda programação, é o que garante a integração com a comunidade.

Jornal: É o principal noticiário da emissora. A duração de trinta minutos é uma boa média de tempo.

Esportes: pode sair do lugar comum e falar do time de várzea, organizar campeonato com as escolas, os torneios de truco no bar do seu Nhô.

Musical: O grande desafia é despertar o sabor por outros sons, que não estão na moda. Pesquise a história dos gêneros, as pessoas que cantam, compõem, mostre nossa cara musical.

Tipos de Noticiários

Atenção: Informação é um direito; um instrumento de cidadania e poder. Transmita em várias doses diárias.

Chamadas: Textos curtos, em torno de 5 segundos, avise o ouvinte a respeito da programação.

Boletim: Pequeno noticiário, pode entrar de hora em hora. Dura em média cinco minutos.

Jornal: É o principal noticiário da emissora. São várias notícias agrupadas, como se fossem distribuídas em editorias.

Debate: É um meio de informar através da discussão de um tema. O ideal é que haja pelo menos um programa semanal de debate.

Conteúdo do Jornal

- Um programa de trinta minutos pode ser dividido:
- Cinco notícias locais/regionais: são os fatos ocorridos na comunidade, o vazamento de água, o buraco na calçada, a reunião de pais.
- Dez notícias de serviços: recado de casamentos, nascimentos, batizados, cachorro perdido, ofertas de emprego.
- Quatro notícias nacionais: o que ocorreu na Câmara Municipal, na Assembléia Legislativa e na Câmara Federal. Veja o que está acontecendo no país, que vai refletir diretamente na vida das pessoas da comunidade.
- Quatro notícias internacionais: difunda os fatos internacionais que vão influenciar na qualidade de vida da comunidade.

A responsabilidade social da rádio comunitária

Desde os primórdios, o poder econômico no Brasil está concentrado no eixo Rio/ São Paulo, onde estão as centrais de produção da indústria cultural, que distribui valores, comportamento, moda para o resto do país.

A matriz nacional é o eixo Rio/São Paulo e a internacional é norte-americana.

A dominação cultural é feita de maneira sutil, sorrateira, na forma de entretenimento, que o povo consome feliz e ainda colabora divulgando.

O entretenimento é uma ideologia, que absorve crianças e adultos. Nada é profundo, provoca efêmeras emoções e logo vai para os comerciais, não dá tempo de pensar – quando o programa acaba, tudo fica como está.

Neste cenário, a arte e cultura popular são substituídas pelo entretenimento, que na brincadeira vai impondo a maneira de pensar, vestir, falar.

A indústria cultural vai suprindo a existência do cidadão, pelo consumidor de emoções, que envolvem e enfraquecem o *discernimento*, que dá margem para o estabelecimento de alguns valores no "senso comum".

Vence quem luta: há sempre o reforço através do testemunho de jogadores de futebol, cantores, atores, dizendo das dificuldades que enfrentaram para alcançar o sucesso.

Todo político é bandido: é a abordagem pejorativa que desqualifica a ação política. Não estimula a cidadania representativa nem participativa.

A lei é para ser cumprida: as elites brasileiras é que dominam o Congresso Nacional, que fazem as leis de acordo com seus interesses. De acordo com o juiz federal Paulo Fernando Silveira "não é o cidadão que deve se adaptar a lei, que não atende aos anseios da maioria, é a lei que deve ser alterada pelo Estado para atender o povo". Outra boa tirada do nosso juiz: "a função do judiciário não é cumprir a lei, mas fazer justiça".

Neste caso cabe a nós ousar criativamente, difundir a democratização da comunicação e promover a cidadania.

Os pecados capitais:

- ligar para dizer que vai enviar fax ou e-mail;
- ler o fax durante a ligação;
- insistir para "vender" a pauta;
- ignorar pedido de entrevista;
- furar acordo de exclusiva;
- oferecer entrevistado despreparado ou que não gosta de falar.

Mailing: roteiro de informações de como e quais jornalistas das pautas e produções devem ser contatados;

- nos jornais: procure listar os telefones, fax, e e - mail dos repórteres da editoria de seu interesse.
- nas rádios: este é um veículo mais dinâmico, absorve os fatos do dia e *in loco*, observe a programação da emissora, os horários dos programas jornalísticos com debates e os noticiários.
- nas TVs: as propostas de pauta para entrevista devem ser enviadas com no mínimo 24 horas de antecedência da reunião de pauta, que acontece sempre por volta das 13 horas.
- Atenção: cada programa de rádio e de TV tem sua própria produção.
- *Observe as condições do ambiente para realizar a entrevista*

A diferença do mailing nos veículos comunitários

Nos jornais e rádios comunitários, a fonte e público estão na própria comunidade. Médicos do posto de saúde, comerciante da quitanda, direção e professores da escola, técnico do time da várzea, sapateiro, padre, dona-de-casa, crianças, representante da associação, enfim todos que moram e participam da vida da comunidade local.

Relatos

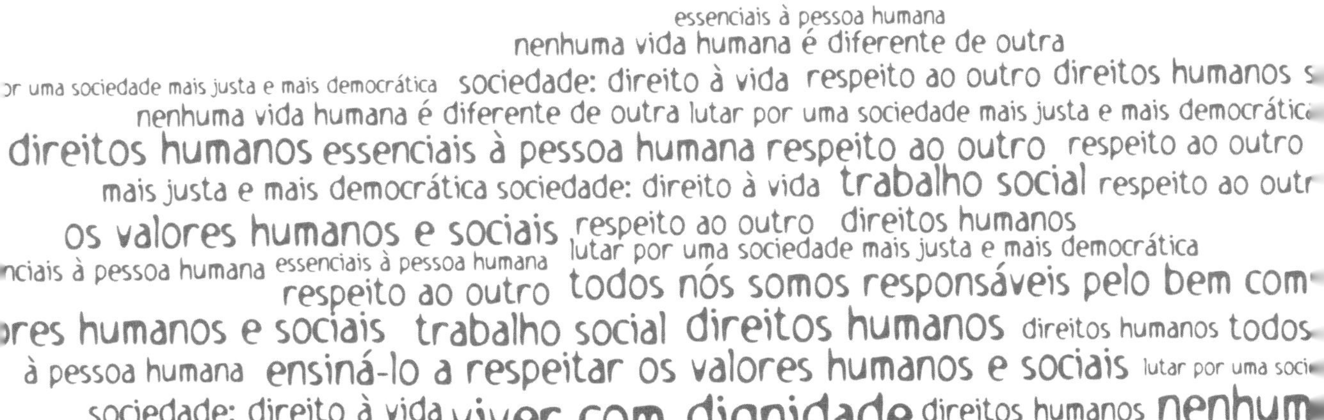
essenciais à pessoa humana
nenhuma vida humana é diferente de outra
sociedade: direito à vida respeito ao outro direitos humanos
nenhuma vida humana é diferente de outra lutar por uma sociedade mais justa e mais democrática
direitos humanos essenciais à pessoa humana respeito ao outro respeito ao outro
mais justa e mais democrática sociedade: direito à vida trabalho social
os valores humanos e sociais respeito ao outro direitos humanos
lutar por uma sociedade mais justa e mais democrática
essenciais à pessoa humana
respeito ao outro todos nós somos responsáveis pelo bem
humanos e sociais trabalho social direitos humanos direitos humanos
à pessoa humana ensiná-lo a respeitar os valores humanos e sociais
sociedade: direito à vida viver com dignidade direitos humanos
trabalho social
sociedade: direito à vida

Relatos de violações de direitos humanos

Elitânia

Toda criança tem direito de ir para a escola e a maioria das vezes vai para sofrer agressão dos colegas.

Toda criança tem direito de saber porque que ela está sofrendo agressão dos pais, porque eles podem resolver conversando.

Todo adolescente e criança têm direito a ir para a escola, mas quando vão, os professores não respeitam os alunos e a criança fica com medo de contar para os pais, porque os professores assustam os alunos. Até os professores de educação física batem nos alunos quando o aluno não faz do jeito que eles querem, mas sim do jeito deles.

Todos têm direito a ser o que quiser.

Paloma Pereira Lacerda

Violentada? Em qual sentido?

Alguém comentou: "Temos que ser diferentes, para não sermos iguais". Estamos numa sociedade onde ser diferente é sinônimo de discriminação. Onde se não seguimos uma regra imposta, somos isolados, onde se fala tanto em diversidade, mas a diversidade assusta.

"Tudo" começa de baixo para cima:

Em casa:

Se eu estou ouvindo uma música e meu irmão muda de rádio sem pedir licença! Ele está me agredindo.

Na sociedade:

A maneira de me vestir implica em comentários da vizinhança. Onde a minha maneira de pensar, agir, falar,...,faz ser considerada a "Ovelha Negra".

Uma das maiores violações é o preconceito. O preconceito implica em rejeição que resulta em violência. Por que será que é mais fácil o meu vizinho se preocupar comigo, do que com a vida dele?

Uma outra violência diária é o fator dos valores e contra-valores da sociedade em geral.

Exemplo:

Ver um menor ou qualquer pessoa pedindo esmolas, dormindo em praças públicas é normal! (para a sociedade). Tudo parece festa, e com essa acomodação, tudo para os nossos governantes acaba em pizza.

Como resultado de tudo isso:
Perfeição (trechos da música da Legião Urbana).
"Vamos celebrar a estupidez humana
A estupidez de todas as nações
O meu país e sua corja de assassinos e covardes
Estupradores e ladrões.
Vamos celebrar a estupidez do povo
Nossa política e televisão
Vamos celebrar nosso governo e nosso estado
Que não é nação Celebrar nossa desunião
(...)
Vamos celebrar nossa injustiça, vamos celebrar
Nossa vaidade
(...)
Vamos festejar a inveja, a intolerância e incompreensão
Vamos celebrar a violência e esquecer a nossa gente
Que trabalhou
Honestamente e agora não tem mais direito a nada..."

Leonardo da Silva Costa

"Vi ontem um bicho... na imundíce...". Estou me reportando ao saudoso Manuel Bandeira, que relata há mais de meio século a violação dos direitos humanos.

Em minha frente, Bairro Pró-Morar, Sapopemba, zona leste de São Paulo, estava uma família - pai, mãe e cinco filhos - vivendo em um cubículo de 2,5m x 1,20m, sem direito à comida, saúde, segurança e habitação. A defesa civil interditou essa "habitação", sem entrar em contato com a família; ao ser chamada, a equipe de Ação e Cidadania, junto do projeto "Herança de Betinho", ficou sem palavras frente ao estado de miséria total daquela família. O impacto da equipe a fez prometer dinheiro para a aquisição de uma moradia digna. Porém, isso não supre todas as necessidades. A fim de que o estado de miséria não perdure, a equipe de Cidadania fará um acompanhamento de reintegração social.

É lamentável que tenhamos que informar aos executivos e legisladores que no Brasil a cidadania equivale a todos os direitos para todos.Mas, o que é direito, torna-se luta para sua execução.

Emerge o papel relevante da associação, ONGs, movimentos populares e lideranças comunitárias, como mediadores e intercessores dos excluídos frente às instâncias competentes (porém, desinteressadas e distantes do bem comum).

Quando se percebe que é necessário viver com responsabilidade, que nossas ações e atitudes têm conseqüências que atingem outras pessoas, então se inicia o processo de formação da consciência crítica. Desta indignação nasce a luta pelo bem e pela justiça. Este é um importante marco referencial para a mudança do frágil cidadão de papel ao papel do cidadão, sujeito forte na construção da história de um povo.

"O Rio"

Juliana C. Martinez

Moro em uma rua onde termina um rio. Rio este, onde meus tios passavam e nadavam, hoje ele transformou-se em um córrego.

Há dez anos construíram uma ponte sobre o "rio", ela já foi remontada, trocada de lugar e montada de novo. Agora é mantida pelos "moradores do fim da rua".

Para o nosso amigo, "Rio", já foram aprovados projetos de canalização e construção de uma avenida sobre o mesmo. Isso há oito anos.

Hoje faz 21 anos que meus tios nadaram no rio, e há 21 anos lá só nadam ratos, detritos, animais mortos. Uma das soluções foi aterrar parte do rio; legal, ele mudou um pouco seu curso e quase derrubou duas casas.

Parece besteira o que estou lhes dizendo, parece pouco a história de um rio, mas vocês já pensaram em quantas crianças brincam em suas margens? Ou quantos insetos, que transmitem doenças, proliferam no rio?

Ou melhor, em quantas mulheres quase foram estupradas na ponte ou embaixo dela? Cansei de ver pessoas se abrigando, se escondendo da polícia na ponte. Na mesma ponte, que você, sua filha ou filho, poderia usar para chegar a outra margem.

O Rio é um assunto banal?

Não.

Se já tivesse sido canalizado e "asfaltado" não teríamos mais ratos, insetos, drogados, ladrões (que fogem da polícia) e, conseqüentemente, não teríamos de ir ao hospital por causa de uma mordida de rato, de um inseto ou do simples contato com a água.

Não teríamos sido assaltados, poderíamos ajudar os possíveis dependentes químicos a não serem. Enfim, poderíamos, mas não fizemos, e não cabe nesta todas as variantes do que "poderia" ter acontecido, pois não ocorreu.

Na atual posição o que fazer?

Mudar fugindo?

Ficar e brigar por uma simples canalização?

Saúde

Emerson Teixeira de Souza

Há alguns dias fui levar minha filha ao Hospital Público Infantil de Diadema. Cheguei lá por volta das 17h30 e fui informado de que o médico só chegaria às 19 horas. Não tinha opção, então peguei uma senha (que já estava no número 71), apenas comentei que minha filha estava com febre e poderia ter uma convulsão e já ouvi da atendente: - não sou enfermeira, muito menos médica, não posso fazer nada.

Diante desses fatos fui me sentar, nesse meio tempo de espera a sala já estava lotada e, após às 19 horas, o médico não havia chegado e a todos que você perguntava só se ouvia: - não sei, ele já devia ter chegado. Eu já não agüentava mais, pois além da sala estar muito quente, foi só uma criança começar a chorar e pronto, reação em cadeia resultando em uma gritaria geral.

Às 19h50 chega o médico com o seu jaleco da federal de São Paulo e um copo de café e se juntou para conversar com os funcionários como se tivesse chegado 15 minutos antes do horário. Eu, no auge da minha ira indaguei: - seu japonês filho da p...que hora é o seu plantão?

Para o espanto de toda a sala que não esperava aquela atitude e a dele, que perguntou: - o que você disse?

Eu, sem dar bola para suas origens (geralmente orientais são bons de briga) repeti: - seu japonês filho da p...que hora é o seu plantão?

Ele disse que eu estava muito bravo e depois nós conversaríamos, e foi para a sala trabalhar.

Após alguns minutos, o nome da minha filha foi chamado e, depois de feita a consulta, ele me explicou que a culpa era da prefeitura, pois esta havia cortado em 40% o salário fazendo com que vários médicos saíssem e com esses honorários ninguém queria ocupar o lugar. Ele se assustou quando eu disse que o problema era dele sim, pois seu horário era às 19 horas e ele não cumpriu.

E eu que fui levar uma doente para ser atendida voltei para casa com dor de cabeça, mas com a certeza que estamos no Brasil e algo podia ser pior.

Elida Miranda dos Santos
Núcleo de base MNMMR (DF)

Direitos Humanos, direitos humanos,
Todos somos iguais na teoria,
Somos tratados com diferença.
No dia a dia
Quem tem mais tem direito de ser
Respeitado, quem tem menos tem
Direito de ficar calado
Ainda dizem que temos direito à
"cidadania".

Liliane Maria Santana
Tiago Barbosa dos Santos
Bárbara Catarine Pegoraro
Elida Miranda
Alexandra Maria de Jesus Santos

De quem é a culpa?
Mamãe!
Mamãe!
Por que tá escuro?
Não consigo me soltar
Por que você me deixou aqui?
Não faz diferença para você?
Eu sei que faz
Mas é matar ou morrer
Tudo para sobreviver
Não quero comer,
Não quero beber
Só quero ter você aqui
Estou com medo
Será que é tão difícil entender?
Com você ao meu lado
Posso brincar, sorrir e
Até ir para a escola
Mas você não está.
Ninguém está!
Eu quero a minha mamãe.
Eu sei que você não queria
Mas você fez
A culpa é sua?
A culpa é minha?
A culpa é nossa?
Não sei.
Só quero a minha mãe
Mamãe!
Mamãe!

Neste poema quis passar um diálogo entre uma criança e ela mesma num caso encaminhado ao Conselho Tutelar do Jabaquara em que uma mãe precisava sair para trabalhar e sustentar a ela e ao filho, mas essa mãe, que passava por muitas dificuldades financeiras, não tinha alternativas para um problema muito comum na periferia: onde deixar os filhos enquanto os pais trabalham? A demanda é muito maior que as vagas nas creches. E esta mãe, que precisava trabalhar para manter a casa, resolveu deixar a criança em casa sozinha e para ela não fugir ou não se machucar em algum lugar da casa, ela amarrou a criança num móvel e deixou um prato de comida e água ao lado dela, caso sentisse fome. A mãe saía de manhã cedo e voltava à tarde.

É nisto que deixo a reflexão: de quem é a culpa? "Quem não tiver pecados, atire a primeira pedra!" Será?

Bom, calados não ficaremos, mas o que fazer diante de uma situação como essa na qual, violado seus direitos, viola o direito de seu responsável?

Mamãe! Mamãe!

Alexandra Maria de Jesus Santos
Tiago Barbosa dos Santos,
Bárbara Catarine Pegoraro
Liliane Maria Santana
Elida Miranda

Era um garoto, como qualquer um de nós, nem alto, nem baixo, nem gordo, nem magro.

Escola? Bem, escola tinha uma, mas além de ser longe de sua casa, ele não se sentia muito bem lá.

Também, estudar das 19 até as 23 horas em um lugar muito violento, com armas, drogas, medo, e...! Não dava para exigir muito. Além disso, achava muito mais interessante trabalhar.

Queria ter seu próprio dinheiro, queria comprar um relógio legal, roupa da hora, tênis de marca, porque todos os seus amigos tinham e ele também queria.

Largou a escola. Entendeu que não tinha nada de bom lá.

Trabalho? Ah, ele bem que tentou!

Primeiro trabalhou de ajudante de lava-rápido, depois daí, para cobrador de lotação foi um pulo. Chegava cansado, mais de meia-noite; acordava cedo, antes das 5 e o salário no fim do mês? Não dava para nada!

A família? Bem, não fala muito sobre isso, mas sua família não é muito diferente de uma família comum que mora na periferia de uma cidade grande.

Se meteu com um grande grupo ali mesmo da lotação e um dia percebeu que além da lotação, havia outro comércio realizado ali, no ponto final do morro. Era uma boca de tráfico.

Quando o conheci, ele estava saindo da delegacia e indo para a Febem. Deu crime? Até hoje não sei...

Li seu B.O. e lá constava o crime de tráfico de drogas, mas pasmem, não foi encontrado droga com ele!

Ele foi preso, passou uma noite e um dia na Febem por ser acusado de traficante, e não tinha droga!

Este caso já foi relatado para diversos lugares, como ONGs, além de uma denúncia à Corregedoria da Polícia Civil para punir a delegada que autorizou a prisão. Até hoje nada foi feito e a denúncia já tem um ano!

Uma observação interessante: a resposta da delegada foi algo parecido com: "Se ele estivesse em casa, brincando no *playground* do prédio, preso não teria sido!"

Temos que ter cuidado ao andar na rua, pois qualquer um pode ser vítima!

1. Do direito à vida, à saúde, com prioridade absoluta para a criança e o adolescente.

Aline Matos

Uma criança de nove meses foi levada por sua mãe ao Hospital Jardim Ivã para receber inalação rotineira, pois tinha bronquite. Chegando lá, esperaram por aproximadamente 1 hora e meia até o atendimento. A pediatra de plantão orientou a inalação e, após mais ou menos 5 minutos a criança teve parada cardíaca e foi internada imediatamente na CTI, permanecendo lá por oito dias até a morte. Causa do óbito: intoxicação por medicamentos. Denúncia atual no centro Regional de Medicina, aguardando resultado para ingresso contra o Estado na Justiça.

2. A professora expulsou da sala cinco crianças afrodescendentes, pois pedia silêncio e uma se levantou para pedir uma caneta emprestada para seu amiguinho, as outras a defenderam e foram expulsas também. Ao expulsá-la a professora dizia "Olha a sua cor e olha a minha, vê quem tem razão, seus negrinhos!".

Do direito ao respeito/ Do direito à participação na gestão da escola

Denúncia NAE/ Inquérito Policial

3. No nosso bairro, várias pessoas são presas para averiguação ou privadas de liberdade sem flagrante, nem ordem judicial. A polícia invade as casas sem mandado judicial e muitas vezes durante a madrugada.

Do Direito ao devido processo legal/Inviolabilidade do Lar

Palavras Finais

Depois de muitos anos trabalhando na área dos Direitos Humanos concluímos que o trabalho mais útil que poderíamos fazer era o de educação.

A educação nos parece o caminho mais seguro para a transformação da sociedade discriminatória e excludente em que vivemos.

Desta idéia nasceu a Rede Brasileira de Educação em Direitos Humanos, a Rede.

Sua atividade educativa quer contribuir para a tomada de posição contra a situação de pobreza – de vida e de direitos - em que vive um tão grande número de pessoas, no Brasil e na América Latina.

Por meio de uma pedagogia libertadora, na linha de Paulo Freire, a Rede se propõe a transmitir uma consciência do social, a formar e incentivar um cidadão responsável, atuante no seu contexto.

Partimos da dignidade da pessoa - cada um de nós é um ser único e diferente de todos os outros, mas ao mesmo tempo igual a todos e com direitos iguais,procurando mostrar que os direitos de cada um são direitos de TODOS e, assim, exigem também deveres, impõem a participação na defesa do bem comum.

Essa noção básica valoriza o homem e exige conseqüência: somos responsáveis pelas sociedades em que vivemos e não podemos viver em paz ao lado da fome, misérias, injustiças, privação de direitos.

Uma sociedade justa e democrática não é possível sem direitos humanos. Democracia e Direitos Humanos são valores indivisíveis.

E não bastam boas leis, é preciso que todos conheçam seus direitos e lutem por eles. E não basta informação, é preciso vivência no cotidiano. Direitos Humanos devem ser vividos em cada gesto e atitude, na ação de todos os dias.

Nos cursos que organizamos na Rede tentamos refletir, incentivando o diálogo, e a tolerância, esse ideal de uma sociedade mais justa e solidária.

A Rede quer ser semeadora de idéias, de motivação para as lutas pela justiça, por uma sociedade mais eqüitativa.

Lançamos sementes na esperança de que frutifiquem e mudem as mentes e corações.

E o curso "Direitos Humanos para lideranças comunitárias" nos causou uma grande alegria.

Foi uma satisfação ver a prática realizando o ideal – informação, reflexão, diálogo, participação, preocupação e intenção pela justiça e pela democracia dos direitos. Os olhos brilhando, as perguntas pertinentes, as colocações sempre práticas, na vigência do dia a dia. Ver a juventude empunhando nossas bandeiras.

O grupo encantou-nos pela efetiva participação dos alunos, pela garra, espírito crítico e interesse de todos. Ficou-nos a certeza, como uma grande recompensa, que o trabalho valeu a pena.

Em nome da Rede Brasileira de Educação em Direitos Humanos
nosso muito obrigada,
A Maria Paula, Júlia, Fernanda e Estela, incansáveis e dedicadas organizadoras,
A Fernando, Carlos e todos os monitores que animaram os grupos,
Aos professores que dedicaram ao curso muitas horas de seu descanso de sábado.

Agradecimentos também à Secretaria Nacional de Direitos Humanos do Ministério da Justiça, que tornou possível esta realização.

Muito obrigada, VALEU!

E passo a palavra final a Hannah Arendt,

"O primeiro direito é o direito de ter direitos".

Margarida Genevois
Rede Brasileira de Educação em Direitos Humanos

valores humanos e sociais
dignidade direitos humanos sociedade: direito à vida nenhuma vida humana é
respeito ao outro todos nós somos responsáveis pelo bem comum viver com dignidade
lutar por uma sociedade mais justa e mais democrática sociedade: direito à vida
ocial viver com dignidade direitos humanos nenhuma vida humana é diferente de outra ess
essenciais à pessoa humana lutar por uma sociedade mais justa e mais democrática
ana é diferente de outra essenciais à pessoa humana direitos humanos trabalho social sociedade: d
balho social viver com dignidade direitos humanos respeito ao outro direitos humanos
oa humana trabalho social sociedade: direito à vida nenhuma vida humana é diferente de out
dos nós somos responsáveis pelo bem comum viver com dignidade essenciais à pessoa humana
e outra respeito ao outro sociedade: direito à vida respeito ao outro nenhuma vida humana é dif
respeito ao outro trabalho social direitos humanos

Participantes

Palestrantes

André de Carvalho Ramos - Procurador da República, atuante na área de Direitos do Cidadão do Ministério Público Federal em São Paulo

Carlos Weis - Procuradoria Geral do Estado, coordena a assistência judiciária da Casa de Detenção. É mestre pela Faculdade de Direito da Universidade de São Paulo e autor do livro *Direitos Humanos Contemporâneos*

Ciro Coutinho - jornalista especializado em jornalismo político, mestre pela PUC-SP

Dalmo de Abreu Dallari - advogado, jurista, professor emérito da Faculdade de Direito da Universidade de São Paulo, coordenador da Cátedra da UNESCO de Educação para a Paz, Direitos Humanos, Democracia e Tolerância. Tem inúmeras obras e artigos publicados

Davi de Paiva Costa Tangerino - advogado e membro do CRAVI (Centro de Referência e apoio à Vítima), na época do projeto

Flávia Piovesan - Procuradoria Geral do Estado, professora da PUC-SP. Mestre e doutora em Direito pela PUC-SP. Autora de diversas obras e artigos

Flávio Américo Frasseto - Procuradoria Geral do Estado,na função de Defensor público na área da Infância e Juventude, na Procuradoria de Assistência Jurídica

José Arbex Jr. - jornalista, professor da PUC-SP

José Sérgio Fonseca de Carvalho - Mestre e Doutor em Filosofia da Educação pela Faculdade de Educação da Universidade de São Paulo, onde leciona nos programas de graduação e pós-graduação. É autor da obra *Construtivismo:uma pedagogia esquecida da Escola* (Porto Alegre, Artmed, 2001)

Letícia Massula - Advogada e Coordenadora do CRAVI (Centro de Referência e apoio à Vítima), na época do projeto. Mestranda em Direito na PUC-SP

Marcos Fuchs - Diretor do Instituto Pro Bono

Maria Aparecida da Silva (Cidinha) - Historiadora e presidenta do Geledés - Instituto da Mulher Negra

Maria do Rosário da Silva Mendez - Assessora de Imprensa da Assembléia Legislativa de São Paulo

Maria Paula Dallari Bucci - Procuradora da Universidade de São Paulo, diretora do Centro de Direitos Humanos, Doutora pela Faculdade de Direito da Universidade de São Paulo e professora do Curso de Mestrado e Direito na Universidade Católica de Santos. Autora do livro *Direito Administrativo e Políticas Públicas*

Patrícia Massa Arzabe - Procuradoria Geral do Estado, defensora pública na área de Infância e Juventude, Doutora em Direito pela Faculdade de Direito da Universidade de São Paulo

Sérgio Gardenghi Suiama - Ministério Público Federal, Procurador da República em São Paulo e professor universitário

Lideranças

Adriana Barros – Observatório de Direitos Humanos

Alessandro dos Santos – UNAS - Heliópolis (União de Núcleos e Associações Sociais)

Alexandra Maria de Jesus Santos – CEDECA (Centro de Defesa da Criança e do Adolescente) - Sé, São Paulo

Aline Camila Lopes

Ana Carolina Lima Carneiro – Geledés – Instituto da Mulher Negra

Anabela Gonçalves – TROPIS (Associação da Favela Monte Azul)

André Oliveira – Observatório de Direitos Humanos

Anne Denise da Costa – Observatório de Direitos Humanos

Ayrlles Dayane Pereira de Assis – UNAS – Heliópolis (União de Núcleos e Associações Sociais)

Barbara Caterine Pegoraro – Grêmio Estudantil

Camila Viana de Sá – Espaço Gente Jovem

Carlos Alberto da Silva – MSU (Movimento dos Sem Universidade)

Cassia Aparecida Vieira – Mocidade Espírita

Claudia Mara Jussara Martinez – Mocidade Espírita

Cláudio Pinheiro Paulo – CEDECA – Sapopemba, São Paulo

Cristiane Carvalho dos Santos – Geledés – Instituto da Mulher Negra

Cristina de Souza Luciano – MSU (Movimento dos Sem Universidade)

Cristina Pereira Souza – Observatório de Direitos Humanos

Danilo Fernandes Lima – Artcom

David Venuto de Campos – Geledés – Instituto da Mulher Negra

Diego Rodrigues – CEDECA – Sapopemba, São Paulo

Domiciano Souza – CEDECA – Interlagos, São Paulo

Douglas Alcântara – TROPIS (Associação da Favela Monte Azul)

Edna Silva de Souza – CEDECA – Jardim Ângela, São Paulo

Eliane Gonçalves – Observatório de Direitos Humanos

Élida Miranda – Movimento dos Meninos e Meninas de Rua

Elitânia Alexandre dos Santos – CEDECA – Sapopemba, São Paulo

Emerson Sousa – Observatório de Direitos Humanos

Érica Cristina Baleeiro Ormundo – MSU (Movimento dos Sem Universidade)

Everton Diego Gonçalves dos Santos – CEDECA – Sapopemba, São Paulo

Everton Rodrigues de Assis Machado

Fábio Vicente de Souza – CEDECA – Jardim Ângela, São Paulo

Fabíola Prior Lima – SENAC/Projeto Agenda XXI

Felipe Tadeu de Lira Ferreira – Observatório de Direitos Humanos

Fernanda Santos da Silva – Creche Fujihara

Gerson Alberto da Silva – MSU (Movimento dos Sem Universidade)

Jairo José da Silva Batista – CEDECA – Sapopemba, São Paulo

Joquebede Melo Brandão – Colméia

José Augusto de Oliveira – UNAS – Heliópolis (União de Núcleos e Associações Sociais)

Josilânida Aparecida A. Gonçalves – Observatório de Direitos Humanos

Juliano Carlos Martinez – Mocidade Espírita

Kátia Cristina Atanazio dos Santos

Katia Souza Azevedo – Observatório de Direitos Humanos

Kênia Paloma de Oliveira – CEDECA – Sapopemba, São Paulo

Liliane Maria Santana – Aldeia do Futuro

Luana Galhardo Bizerra – SENAC/Projeto Agenda XXI

Luciano Rodrigues da Silva – Observatório de Direitos Humanos

Luciano Silva

Marcelo Costa Nicolau – Observatório de Direitos Humanos

Margarete de Souza Barros – Artcom

Marinez Zito Rosa – Artcom

Micheli Cristina Flauzino dos Santos – Artcom

Monici Gomes de Oliveira – MSU (Movimento dos Sem Universidade)

Paloma Pereira Lacerda – Geledés – Instituto da Mulher Negra

Paulo Antonio Gomes de Oliveira

Rafael Carneiro – Observatório de Direitos Humanos

Rafael José Bena Calgaro – SENAC/Projeto Agenda XXI

Raquel Aparecida Franca – Paróquia Santos Mártires

Regiane Alves Pereira – Observatório de Direitos Humanos

Renato Pereira Aquino – Observatório de Direitos Humanos

Renilda Queiroz – Observatório de Direitos Humanos

Rita de Cassia Santana Santos – CEDECA – Interlagos, São Paulo

Roberta Reiko Durante Sato – CEDECA - Sé, São Paulo

Rosana Andrade Carvalho – Núcleo de Moradores do Jardim Icaraí

Rosangela dos Anjos Farias – Geledés – Instituto da Mulher Negra

Rosimeire da Conceição Santana – Creche Fujihara

Sérgio Martins da Cruz – CEDECA-Sapopemba, São Paulo

Sueli Aparecida Muller – SENAC/Projeto Agenda XXI

Talita Kelly Lopes de Azevedo Prado

Tamiris Silva – UNAS – Heliópolis (União de Núcleos e Associações Sociais)

Tiago Barbosa dos Santos – Coletivo de Crianças e Adolescentes de São Paulo

Uberlando Alves – TROPIS (Associação da Favela Monte Azul)

Valéria Lopes de Andrade – UNAS – Heliópolis (União de Núcleos e Associações Sociais)

Valquiria dos Santos Sarsão – Espaço Gente Jovem

Vinicius Ramos – SENAC/Projeto Agenda XXI

William Fernando de Oliveira – CEDECA – Interlagos, São Paulo

Monitores

Akemi Kamimura – advogada do Projeto Travessia, na época do Projeto

Ariane Carolino de Pádua – estudante de Direito, Universidade Mackenzie - São Paulo

Camila Akemi Perruso – estudante de Direito e estagiária do CRAVI (Centro de Referência e Apoio à Vítima)

Daniela Wolpp Köhler da Cunha - estudante de Direito, Universidade de São Paulo

Dolina Sol P. Toledo – PAJ Criminal

Fernanda Vargas Terrazas – estudante de Direito, Universidade de São Paulo

Giovana Valent – estudante de Direito, Pontifícia Universidade Católica de São Paulo

Jorge Rogério Pequin – Estudante de Ciência Sociais, Pontifícia Universidade Católica de São Paulo

Fabrício Toledo – advogado do CRAVI

Mirella Domenich – jornalista da Folha de São Paulo

Rita Monte – estudante de Direito, Pontifícia Universidade Católica de São Paulo

Monitores bolsistas

Estela Waksberg Guerrini

Fernanda Vidigal

Coordenadores

Margarida Genevois

Maria Paula Dallari Bucci

Fernando Aith

Carlos Portugal Gouvêa

Secretaria Executiva

Fernanda Fernandes de Oliveira

Júlia Mello Neiva

Revisão Débora Martins
Colaboradora Fernanda Fernandes de Oliveira
Colaboradores Especiais Maria Paula Dallari Bucci
Margarida Genevois
Projeto Gráfico Juliana Kuperman
Lígia Lordello Coimbra

Fotolito, impressão e acabamento imprensaoficial

Agradecimentos

Rede Brasileira de Educação em Direitos Humanos

UNESCO

USP Universidade de São Paulo
PUC-SP

Consórcio Universitário pelos Direitos Humanos